VILAINES
PENSÉES

DU MÊME AUTEUR

Chez P.O.L.

L'Ambition, 2013
L'Écologie en bas de chez moi, 2011
Thriller, 2009
Les Trois Vies de Lucie, 2006
Jeanne d'Arc fait tic-tac, 2005
Le Truoc-nog, 2003
O.N.G. !, 2003
Spécimen mâle, 2001
Acné Festival, 1999
Ipso facto, 1998

Chez Naïve,
avec Emma Siniavski

L'Évangile étincelant, 2013
La vie expliquée à mon père, 2011

© Les Échappés

Dépôt légal : septembre 2014
Numéro d'édition : 63
ISBN : 978-2-35766-074-8
Imprimé en France par Clerc

IEGOR GRAN

VILAINES PENSÉES

LES ÉCHAPPÉS
CHARLIE HEBDO

PROLOGUE

Les gentils garçons et les filles sages auront mieux à faire que de lire ce livre.

Ils s'investiront plutôt dans de grands projets où ils donneront le meilleur d'eux-mêmes. Ils iront au supermarché et feront marcher l'économie. Ils mangeront leurs cinq fruits et légumes par jour et ils construiront une société où « justice » et « égalité » ne seront pas des sons creux. Ils seront des as du civisme. Quand ils se regarderont dans le miroir, ils verront de belles idées généreuses illuminer leurs visages satisfaits et volontaires. Peut-être finiront-ils à l'ENA, c'est tout ce qu'on leur souhaite. Ils auront une conscience sociétale inouïe, presque surhumaine, et ils trieront leurs déchets comme des dieux de l'Olympe. Ils feront du sport (on pense au footing, au squash, à la voile) et ne fumeront pas, sauf un joint, parfois, pour décompresser. Ils seront optimistes et créatifs. À défaut de vaccin contre la bêtise, ils nous inventeront un chewing-gum qui ne colle pas au trottoir. Ils avaleront de beaux et gros livres utiles (on pense à Saint-Exupéry, à Camus, à l'*Encyclopædia Universalis*). Une fois au sommet, ils se toucheront dans le noir et finiront par fabriquer d'autres gentils garçons et filles sages, à qui ils apprendront à se méfier des livres comme celui-ci.

Mais rien n'est parfait en ce monde. À côté de tant de lumière, on trouve encore des microbes dont l'esprit de contradiction est resté intact. Voyez : ces créatures n'ouvrent même plus *Le Monde*, ou, quand elles l'ouvrent, une lueur maléfique s'allume dans leurs yeux. Malgré la moraline et l'instruction civique dont on les a gavées, ces affreuses bébêtes sont attirées par la fange du mauvais esprit. Ils voient le laid dans le trop beau, ils goûtent le grotesque des discours troués, ils apprécient le penser-sale. Le grand cirque des années 2010 leur plaît dans sa pathétique vacuité — doit-on préciser qu'ils sont aussi un peu masos ?

En ce siècle où règne l'hygiénisme, je dédie ce livre aux microbes rescapés. Une centaine de vilaines pensées, parues au fil de l'eau dans *Charlie Hebdo*, ne seront pas de trop dans la stimulation de leur système immunitaire. Au point d'amorcer une mutation génétique qui leur permettrait de devenir multirésistants à la société ? Ce serait un beau miracle littéraire et une consécration pour le savant fou.

Iegor Gran

TOUT VA BIEN

Il n'est pas question de baisser les bras. Nous avons toutes les raisons d'espérer. On a connu des périodes de notre histoire bien plus sombres. Les leviers sont nombreux et ne demandent qu'à être activés. C'est dans les périodes difficiles que l'on fait preuve de grandeur. Les mesures à prendre, on les connaît. Regardez le Royaume-Uni des années 1970 — et maintenant. La réussite tient à peu de chose. Notre système a fait ses preuves. On nous envie partout dans le monde. Disons « stop ! » à ce pessimisme qui ne mène à rien. Les Grecs, les Espagnols se demandent de quoi on se plaint. Il y a en Angola des régions entières où l'on vit moins bien qu'à Maisons-Alfort. Râler, c'est ce que les Français font le mieux.

Retroussons nos manches. Chacun fera un effort, et hop ! Le verre est à moitié plein. La Chine, l'Allemagne, l'Albanie — même pas peur. Ça prendra le temps que ça prendra, mais on tient le bon bout. Ce n'est qu'un trou d'air passager. Dans certains domaines, on sent déjà un frémissement significatif. Les premières mesures de relance sont engagées. Personne ne peut nous accuser de faire du surplace. Notre productivité est une des meilleures du monde — on ne le dit pas assez. Il est des secteurs où l'on est en tête. Le tout est de faire preuve de pédagogie. Soyons fiers du chemin parcouru ! Encore une preuve que notre approche est la bonne. Imaginez ce que ce serait si l'on n'avait rien fait ! Plus tard, on regardera en arrière et l'on se gaussera de nos frousses.

La France est un grand pays. Le Poitou-Charentes est une belle Région. L'Ardèche est un atout. Les industries de l'Aveyronnais se mobilisent. Saint-Étienne mise sur la banlieue, et ça marche. Les Yvelines se battent à l'export. Loin des flashs médiatiques, la Lorraine a aussi des pôles d'excellence. Une PME dynamique de Saint-Georges-sur-Baulche a déposé cinq brevets. Nous avons trois façades maritimes. Le mont Blanc culmine à 4 810 mètres. Supélec envoie des étudiants en Chine. Marie-Laure a suivi une formation professionnelle ouvrant droit au Pass régional TER. Il n'y a pas de raison que l'on ne redresse pas la barre.

Il suffit d'un rayon de soleil. L'été est à nos portes. Nous avons les compétences humaines, et c'est l'essentiel. Le reste est une question d'adéquation de l'offre et de la demande. La restauration, pour ne prendre qu'un exemple, manque cruellement de main-d'œuvre saisonnière qualifiée — on la lui donnera ! La modernisation de Pôle emploi ouvre des perspectives.

Jérôme a trouvé un stage d'été dans un grand groupe à la Défense, avec cantine d'entreprise. Mamadou a décroché la moyenne à son TCF (test de connaissance du français) sans tricher. Le CV de Jean-Luc s'est étoffé d'une expérience convaincante dans les technologies vertes. Robert a obtenu son permis poids lourds du premier coup. On pourrait multiplier les exemples de réussite, il y en aura toujours qui joueront les rabat-joie. Investir dans les secteurs à haut potentiel — là est la priorité.

Nos institutions garantissent le fonctionnement optimal des rouages, c'est rassurant. La fonction publique est lancée depuis plusieurs années dans un vaste mouvement de réforme. Tout cela est plus qu'encourageant. Les fruits (hors CSG et CRDS) sont à notre portée, il suffit de tendre la main suffisamment fort et de savoir se contenter de peu. Ceux qui ne sont pas convaincus ne le seront jamais. N'y faisons pas attention. Marchons ! Abreuvons !

PASSAGE À TABAC

Attali-point-com a décidé de frapper un grand coup médiatique : notre éminence très grise propose sur son blog d'interdire la production, la distribution et la consommation de tabac, partout en France, radicalement, du jour au lendemain, par ordonnance royale. La cigarette est pire que le Mediator ! s'écrie le gourou avec son sens de la *formula rasa*. « Une personne en meurt [du tabac] toutes les six secondes. Il a tué 100 millions de personnes au XXe siècle, soit le double de la Deuxième Guerre mondiale. À ce rythme, selon l'OMS, il en tuera 1 milliard au XXIe siècle. »

Étranges statistiques, étranges calculs. Le nombre de victimes de la pire barbarie de l'histoire devient un étalon de mesure pour un appel à l'hygiène publique. Armé de son bon sens, froid comme un tableau de l'INSEE, Attali-point-com juge qu'un mort = un mort, et peu importe la cause, finalement, et les circonstances. On se permettra de contester cette formule productiviste. La qualité de mort est un critère de qualité de vie. Ainsi nous avons la chance, nous autres, dans nos sociétés occidentales, que l'épectase (l'arrêt cardiaque durant un orgasme) tue chaque année plus que le Mediator. Faut-il pour autant identifier les personnes à risque et leur interdire tout rapport sexuel sans visite médicale préalable ? Doit-on « sensibiliser » aux risques mortels de l'onanisme ?

On se demande pourquoi Attali n'exige pas dans la foulée un retour à la prohibition. Est-ce parce que notre bureaucrate goûte davantage le vin que le cigare ? Pas sûr… La faute à Excel, plutôt, ce tableur fourni par l'OMS, où tout est prémâché pour l'énarque. L'alcool tue un peu moins que la cigarette, il paraît, si l'on se fie à cette table sacrée. Il convient donc de commencer par le commencement. Ainsi, pour gérer notre espérance-de-vie-tableur, l'homme-politique-tableur appliquera une loi-tableur, qui se résumera à une coercition-tableur, autrement dit une punition, car, comme nous informe notre prophète, pour lutter efficacement contre la cigarette, « on devra faire quelques dépenses pour désintoxiquer ceux qui sont intoxiqués ».

C'est injuste. Comme le souligne Attali lui-même, le tabac rapporte 10 milliards d'euros de taxes et 3 milliards de TVA. C'est quatre fois l'ISF. Ça fait réfléchir. Il est temps de regarder les fumeurs avec respect. À l'heure des déficits publics records, fumer est une démarche citoyenne. Dites-vous bien que chaque cigarette contribue au financement de logements sociaux, de crèches. Les fumeurs, loin d'être des égoïstes, ont au contraire développé une forme suprême d'altruisme : ils abîment leur santé pour le bien de la communauté. Et même si le traitement d'un cancer du poumon coûte cher à la collectivité, c'est toujours moins qu'une retraite versée tous les mois jusqu'aux confins du quatrième âge. Jeanne Calment, les déficits ne lui disent pas merci !

La retraite d'Attali-point-com, justement, risquera de nous coûter cher. Il ne fume pas, le bougre, il est parti pour durer. Avec sa multitude de casquettes, que le site nous présente dans un remarquable kaléidoscope autopromotionnel ponctué de citations à trois francs cinquante (« Rien n'est plus urgent que d'aimer », « Les justes meurent malgré leur justesse, les méchants survivent malgré leur méchanceté », etc.), notre homme-orchestre va nous refiler sa camelote pendant des années encore, son actualité, ses réflexions, ses livres, ses vidéos (modestement intitulées « Conversation d'avenirs »), ses interventions passées et futures, et ses « autres activités », où, à bout de forces, je n'ai osé m'aventurer. Comme un tonneau des Danaïdes inversé, la vie d'Attali-point-com se remplit plus vite que l'on ne parvient à la lire. C'est à pleurer. Triste spectacle que la mégalomanie sans filtre !

TNT ET DYNAMITE

Allez, les enfants, le 8 mars, on passe tous au numérique ! Avec l'aide de la République française, qui a gentiment préparé un guide de 27 pages distribué gratuitement, ça va être fastoche, même pour les plus demeurés d'entre nous. Dès la couverture, toutefois, deux questions angoissantes — « Suis-je concerné ? » et « Que dois-je faire ? » — me mettent mal à l'aise : ça ne va pas être comme dans du beurre, le sujet n'est pas simple, il y a une multitude de cas particuliers. 27 pages, c'est deux fois plus que le mode d'emploi de ma télé Samsung.

Les dessins vont nous aider. Reprises sur chaque page, une télé rouge et une bleue, anthropomorphes, avec des bras, des jambes et des yeux, accompagnent le texte par ce trait sympathiconiais que les bureaucraties affectionnent quand elles parlent au peuple. La télé rouge est une femelle, je suppose. Elle se gratte la tête l'air perplexe, tandis que le mâle, en bleu, lève doctement le doigt. Il sait, le mâle, comment procéder quand il y a une panne. Il a l'expérience. N'y voyez aucun sexisme, no-non, c'est le côté pratique des choses qui est illustré. Quand, dans les publicités pour les lessives, le rôle du crétin de service est réservé au mâle afin de démontrer la simplicité du produit, ici, c'est naturellement la femelle qui a le rôle de la paumée, tantôt une antenne parabolique à la main, tantôt un râteau, mais aussi… une clé à molette (les femmes, c'est connu, confondent souvent les câbles électriques et la plomberie). Parfois, elle tient une loupe — à moins que ça ne soit une cuillère à soupe stylisée, difficile à dire —, elle nous sera bien utile pour lire les petites notes dont le texte est truffé.

Car, même si on nous matraque par la méthode Coué que la TNT est simple, il suffit de regarder entre les lignes pour ne pas être rassuré. On y trouve du charabia : « Je peux aussi résider dans une zone qui ne sera couverte par la TNT que le jour du passage, si l'émetteur numérique dont je dépends est allumé ce jour-là. » Des tautologies qui font froid dans le dos : « L'antenne râteau collective doit être compatible avec la réception des signaux avant et après le passage. » Des paradoxes dignes de Socrate : « Je peux donc recevoir la TNT aujourd'hui, mais ne plus la recevoir après le passage si les filtres de mon antenne collective ne sont pas réglés sur les nouvelles fréquences des chaînes. » S'y ajoute l'agaçante obligation de chercher la bonne case qui correspond à ce que nous sommes, ou croyons être, le tout formulé comme une humble déclaration à la première personne auprès d'un être suprême : « Je dépends d'une antenne râteau collective » ou « J'ai plus de 70 ans et/ou je souffre d'un handicap permanent supérieur ou égal à 80 % ». Ceux qui se souviennent de leur service militaire feront le parallèle avec le célèbre « Je suis un crapaud » que les sergents instructeurs faisaient hurler aux voltigeurs rampant dans la boue.

Les plus déficients pourront demander une assistance technique gratuite à domicile. Il suffit d'appeler un numéro non surtaxé, du lundi au samedi, de 8 heures à 21 heures. Mais attention ! Encadré en rouge : « Cette intervention n'est possible qu'une seule et unique fois. » Et aussi, écrit en tout petit : « Tous les membres du foyer doivent avoir 70 ans ou plus. » Voilà qui fait débander.

Tout cela pour dire que, cette année, le 8 mars ne sera pas la Journée de la femme. Ce sera celle de l'homme qui répare sa télé. Prévoir des lits d'hôpitaux supplémentaires — on peut s'attendre à des chutes pour les plus virils d'entre nous qui voudront tripoter eux-mêmes leur antenne sur le toit. Prévoir aussi des cellules d'aide psychologique pour les malheureux qui auront calé dès la première page du prospectus. On rappelle qu'en France le taux d'illettrés est de 9 % de la population. Tant pis pour eux. Il faut être bon à l'école pour mériter TF1.

DÉBORDEMENTS DE BAIGNOIRES

Bobos de tous les arrondissements, ouvrez les robinets ! Dans *À Paris,* le magazine de la municipalité fourré dans toutes les boîtes aux lettres, l'article consacré à la Journée mondiale de l'eau commence ainsi : « Peu de Parisiens le savent, mais en tournant leur robinet d'eau potable, ils permettent aux populations défavorisées du monde entier d'avoir accès à l'eau. » Excellente nouvelle, confinant au surnaturel. Pensez donc, chaque fois que l'on prend une douche ou que l'on va pisser, de l'eau jaillit à l'autre bout de la planète par la magie d'une taxe, à raison d'un centime par mètre cube d'eau, pour une cagnotte globale de 2,8 millions d'euros par an, réinvestie dans « les programmes de solidarité » — terme flou et doux comme un coussin du matin. Logiquement, en poursuivant ce raisonnement, plus on en laisse couler, mieux se portent les défavorisés. Alors, tuons-nous à la tâche. Prenons des bains. Lavons-nous comme des fous. Au diable les consignes écolo, faisons-nous plaisir, brossons-nous les dents pour les enfants du Sahel ! En nous y mettant tous, c'est le désert que l'on fera reculer ! Dénonçons les égoïstes qui récupèrent l'eau de pluie et, échappant à l'impôt, ne participent pas à l'effort collectif !

On a bonne conscience non seulement à peu de frais, mais aussi sans y penser, ce qui est très pratique quand on est débordé par les petits tracas du quotidien. Aujourd'hui, monsieur Jourdain est solidaire comme il respire. L'acte de générosité lui est imposé, ce dont il ne se rend pas forcément compte car il faut déchiffrer les petits caractères sur sa facture d'eau pour être au courant de l'argent versé. Grâce au zèle de la municipalité, la bonne conscience est ainsi incluse dans le package de vivre à Paris — ou à Bordeaux, à Quimper, etc., partout où l'on applique la taxe Oudin-Santini —, un peu comme ces chapelets d'assurances vendues avec les cartes de crédit : personne ne sait exactement pour quels services on paie, quelles options, mais on suppose cependant qu'il y a un filet de sécurité quelque part, et, même s'il est illusoire, on se sent rassuré. Quelqu'un veille.

Il y a aussi quelqu'un qui plonge. À la piscine du palais des sports de Puteaux, au « Défi de l'eau », on viendra « nager pour les enfants du monde ». L'opération se goupille ainsi : il faut d'abord faire la manche auprès de sa famille ou de son entourage — au bureau, par exemple — et ramener 150 euros (pas forcément en pièces jaunes). Pour ce prix exorbitant, on a le droit de faire quinze longueurs « pour que les enfants défavorisés accèdent à l'eau potable ». Ne serait-il pas plus simple et moins fatigant de verser directement son obole à l'Unicef ? Il faut croire que non. Aujourd'hui, la charité est une affaire de transe collective. « On se dépasse entre collègues pour les enfants qui en ont besoin », témoigne ainsi une participante, venue s'inscrire avec ses potes de bureau (ça fera une belle photo dans le journal interne de son entreprise). Alors que le *group sex* est en perte de vitesse dans les soirées branchées, le *group generosity* a pris le relais comme marqueur de cohésion sociale. Ce bonheur de transpirer en débordant de fraternité ! Cette jouissance à se mirer dans le regard approbateur de ses pairs ! En bonus, on empoche une carte postale d'Alain Bernard et un reçu fiscal.

Et comment font ceux qui n'ont rien dans le slip ? Qu'on se rassure : « Chacun peut aller à son rythme, s'arrêter pour se reposer, l'essentiel, c'est que chaque longueur améliore l'accès à l'eau potable dans le monde ! » Rien n'est prévu pour moi, en revanche. Malgré tous les efforts déployés par la collectivité, je ne sais pas nager.

JE VIGILE, TU VIGILES

Soyons vigilants. Les terroristes vont finir par nous en mettre une. Le tout est d'être préparé. Grâce à Dieu, nous le sommes. Les pouvoirs publics ne baissent pas la garde. Le plan Vigipirate est au rouge depuis 2005, virant au rouge sombre depuis septembre 2010. Des années de vigilance extrême. « On n'est pas le pays des Bisounours », avertit Baroin au micro d'Europe 1. On protège en priorité les endroits stratégiques : le Louvre, la Bibliothèque publique d'information, à Beaubourg, les Rencontres internationales du coquillage, à la Bourse du commerce.

Au Louvre, l'accès à la culture commence par une longue procédure de vérification aux rayons X. En ce printemps ensoleillé, une file de touristes butine patiemment la machine qui avale les sacs. Soudain, le tapis roulant a un pépin. Tout s'arrête. On appelle le responsable technique. Une canette de Coca a roulé d'un sac à dos et s'est coincée. « Veuillez patienter. » On cherche, on enlève, ça repart. Le vigile se tourne vers sa collègue : « Caroline, t'as vu la canette, là, sur le tapis ?... — Eh, eh, euh. » Plusieurs individus suspects profitent de ce retour d'expérience pour passer sans être contrôlés. Il nous a fallu douze minutes pour entrer sous la pyramide. Une fois en bas, il faut vingt minutes supplémentaires pour acheter son billet.

Les Rencontres internationales du coquillage, à la Bourse du commerce, n'y coupent pas non plus, à ce geste symbolique de surveillance, réduit ici (heureusement) à sa plus simple expression. Je fais semblant d'ouvrir mon sac en tirant un peu sur le Zip, le chien de garde fait semblant d'y jeter un coup d'œil en levant le sourcil. Nous sommes tous les deux dans la gestuelle inutile, il y a comme une complicité entre nous.

Ce qui se fait de mieux en la matière se trouve à Beaubourg, à la Bibliothèque publique d'information. Un tambour filtre la queue des étudiants pour ne laisser entrer qu'une personne à la fois, on ne sait jamais, soyons prudents. La porte tournante franchie, les sacs sont fouillés par un malabar en gants bleus, et l'on passe sous un portique de sécurité comme à l'aéroport, avec obligation de sortir ses clés, son portable et la petite monnaie. Pour expliquer ce zèle idiot (l'entrée au musée, elle, se fait de l'autre côté du Centre, et l'on y entre comme aux coquillages), une pancarte rappelle que, « Pour votre sécurité, le plan Vigipirate a été renforcé ». Ici, comme à la SNCF, tout ce qui gêne, fait perdre du temps ou de l'argent, nous est vendu comme un service qu'on nous rend. Sur la même pancarte plus loin, cette précision, utile pour ceux qui auraient l'idée de venir se cultiver entre deux avions : « L'entrée de la bibliothèque est interdite aux bagages. » On est prié d'aller déposer sa valise bourrée d'explosifs ailleurs, par exemple dans le métro à l'heure de pointe ou à la sortie d'une école, où il n'y aura jamais ni portique ni vigile.

Je voudrais poser deux questions au Grand Fonctionnaire qui nous gouverne. Combien d'attentats ont été déjoués grâce à notre vigilance ? Combien de morts évitées ? de terroristes arrêtés à l'entrée du Louvre ? de bombes découvertes ?... Et aussi : quel est le coût de cette protection symbolique ? Je ne parle pas seulement de la solde des soldats endormis qui rôdent dans nos gares comme on balaie la cour de la caserne. Ni des tapis roulants, portiques de sécurité et sociétés de gardiennage qu'il a fallu acheter, installer. Je voudrais que l'on me donne une estimation du nombre d'heures perdues par toute la nation à poireauter dans les endroits publics pendant qu'on nous fouille. Réponds-moi, ô Grand Fonctionnaire ! Écris au journal, qui transmettra.

LA COURSE DU CANARD SANS TÊTE

Bonne nouvelle, on a retrouvé quelques débris du vol DSK. Certes, la boîte noire est encore inaccessible, bien que localisée par son émetteur électronique à TriBeCa, NY — mais rien ne nous dit qu'elle sera exploitable. Sans elle, nous ne saurons sans doute jamais ce qui s'est passé dans les instants fatidiques. Cependant, il est rassurant pour la grande famille des strauss-oui-oui de disposer de quelques éléments précédant de peu la catastrophe. Ainsi pourra commencer le travail de deuil, dont chacun sait qu'il est à la base d'un certain fétichisme.

Un de ces reliquats se trouve à l'adresse dsk2012-bouchesdurhone.fr, un blog de soutien à la candidature de notre héros pour l'élection présidentielle. C'est avec une émotion certaine que l'on relit les propos enflammés, dont la passion grésille maintenant comme un 78 tours dans une maison promise à la démolition. « Le choix de notre candidat ne peut souffrir l'erreur. » « Avec lui, nous pensons que "l'on peut dépasser le possible sans promettre l'impossible ». » Ah, la belle accroche ! Ce n'était pas du travail de com, c'était de l'orfèvrerie. On reste admiratif et troublé, comme devant les vestiges d'une civilisation disparue. Un peu plus loin : « Nous lui lançons donc un appel solennel et pressant afin qu'il porte devant le peuple souverain [son] projet cohérent. »

Le site fourmille d'informations. On peut visiter l'article « DSK défend un modèle de croissance respectueux de l'environnement » — la grosse ficelle du marketing politique semble maintenant tellement dérisoire ! — ou se rabattre sur une lecture dont le site fait réclame : *DSK au FMI, enquête sur une renaissance,* paru au Seuil en février 2011. Le bouquin vaut le détour, ne serait-ce que pour la photo de couverture — on imagine les heures de maquillage, de pose et de bidouillages sur Photoshop pour obtenir ce sourire exhibitionniste en carton-pâte.

Autre relique collector, dskvraifaux.fr reprend le principe pédagogique de la page « Le saviez-vous ? » du *Journal de Mickey,* à destination, semble-t-il, des neuneus de la strauss-kahnie : « DSK a une Porsche. FAUX. » « DSK achète des costumes à 35 000 $. FAUX. » « DSK est de droite. FAUX. » « DSK est coupé du peuple. FAUX. » Attention, changement de registre : « DSK se préoccupe de l'avenir de la jeunesse. VRAI. » Etc.

Anne Sinclair a quant à elle fermé son blog, mais les comités de soutien sont toujours là. Malgré le vent, la tempête, ils sont toutes voiles dehors : la force de l'inertie. La course du canard sans tête. C'en est touchant. On dirait des enfants perdus errant dans un supermarché. On a presque envie de se joindre à eux. Se dire que, finalement, rien n'est encore joué. Une non-campagne de cette qualité n'aurait pas pu être fabriquée pour du beurre ! Allons, quoi ! Il suffit d'y croire : DSK reviendra plus puissant que jamais. Le vide appelle le vide. Il le doit à ses orphelins — une cellule d'aide psychologique aurait été mise en place au FMI (j'ai lu ça dans *Le Parisien*).

Au détour du site, on me propose de rejoindre l'appel : « Je souhaite que Dominique Strauss-Kahn soit candidat aux primaires ouvertes organisées par le Parti socialiste en octobre prochain. » Je viens de le signer. Si l'on est suffisamment nombreux, il se décidera peut-être. On passera alors un été inoubliable.

BACCALAURÉAT GÉNÉRAL, OPTION WINDOWS 7

Vous ne passez pas le bac cette année ? Vous l'avez déjà ? Dommage… Vous ratez une belle opportunité, vraiment. Car cette année, le bac est doublé d'un jeu-concours où l'on gagne un ordinateur Windows 7, pour peu que l'on sache estimer avec précision ses propres capacités intellectuelles. Le deal n'est pas (encore) au menu officiel de l'Éducation nationale, c'est Microsoft qui régale. Il suffit de s'inscrire sur le site de l'opération « Devine ta note au bac », de choisir dans une liste un « PC qui te ressemble » et de se débrouiller pour obtenir une note moyenne la plus proche possible de celle que l'on avait pronostiquée. Aucune obligation de niveau minimum à atteindre. On peut être recalé si l'on veut. L'essentiel est de se jauger à sa juste valeur, au centième près. Le site propose comme exemple 18,75/20, mais rien n'empêche de viser plus modeste, d'ailleurs la moyenne de ceux qui sont déjà inscrits est de 12,68, les garçons l'ayant plus grosse que les filles. (Je n'ai pas pu m'en empêcher, désolé, mon strauss-kiki se réveille.)

Le site, d'une laideur exceptionnelle tant par la typo que par la mise en pages et les couleurs choisies, mérite un coup de chapeau pour sa niaiserie revendiquée. Le papier peint est composé d'images stéréotypées de ce qu'aiment les jeunes cons d'aujourd'hui, à savoir les quatre objets suivants : un skate, une guitare électrique, un ballon de foot et un baladeur MP3 (mais attention, pas celui d'Apple). Pour renforcer encore plus l'identification des jeunes cons aux jeunes cons, Microsoft propose une galerie de portraits. On y croise le gogolito Hugo, qui déclare : « Pour le bac, ma philo, c'est no stress, skate et vidéo ! » ; la bosseuse Marie : « Après mon bac, je veux être chercheuse » ; un Noir propre sur lui, passage obligé de toute publicité institutionnelle, qui minaude : « On peut passer son bac en réseau » ; un rebeu intégré, Karim : « Au bac, je mixe maths, géo et tempo. » Toutes ces citations sont bidon, bien entendu, elles ont été inventées par l'agence de com, dont le président déclare, pas peu fier : « Nous sommes heureux d'avoir gagné la compétition autour d'une idée forte et originale qui a su séduire Microsoft. »

Le tutoiement est de mise quand on parle jeune con et qu'on est une entreprise aussi cool que Microsoft. « Déjà inscrit ? Tu peux modifier ta note jusqu'au 30 juin. » Bonne idée, comme ça on peut ajuster son estimation en temps réel, en fonction des épreuves réussies ou ratées. Gageons que ça sera l'activité principale des jeunes cons à partir d'aujourd'hui, date des dernières épreuves écrites, car l'opération est relayée sur Facebook avec ses possibilités de socialisation infinies, dont celle de postuler pour avoir sa photo sous le titre glorieux du « Futur bachelier de la semaine ». (« Tu souhaites apparaître à cet endroit ? Tente ta chance en postant une photo sur le mur de la page ! ») L'agence de com a amorcé la pompe par une photo d'une jolie mineure à la bouche charnue. (Mmmm ! Je sens mon strauss-kiki.) Facebook ou pas, l'opération promet d'être immanquable : 16 000 brochures et 4 000 T-shirts aux couleurs de l'opération ont été distribués dans les lycées.

Au pays des jeunes cons, point de salut ?… Si, une faille existe. Avec un peu d'astuce, les plus intelligents parmi ceux qui sont sûrs de rater leur bac inscriront une moyenne de 0,00 et feront exprès de rendre copie blanche à chaque épreuve, tombant pile sur la moyenne prévue et empochant ainsi « l'ordinateur de leurs rêves ». Bref, c'est le moment de foirer son bac tout en touchant un bonus de compensation. Alors merci qui ? « Merci m'sieur l'crivain, l'bâtard de ta race. »

FRANÇOIS HOLLANDE
ET L'ÉRECTION EN PUBLIC

En ce début d'été où fleurissent les starting-blocks, on ne saurait que trop conseiller à François Hollande, candidat « normal » à la candidature, de potasser le site de l'Afnor, l'Association française de normalisation. La devise de cet organisme reconnu d'utilité publique est déjà tout un programme : « La force d'un service impartial » sonne bien, promet beaucoup et n'est pas sans rappeler une certaine « force tranquille » d'un temps révolu, heureux et doux comme l'enfance, un temps où les journalistes se mettaient eux-mêmes la muselière en piaffant d'impatience, où YouTube n'existait pas et où les hommes politiques n'étaient pas là pour assurer le spectacle mais pour siroter tranquillement les jus de la nation.

Au-delà du slogan, l'Afnor semble calibrée pour assurer le succès de notre ambitieux bonhomme sur le chemin de la normalité. « L'importance des normes dans notre vie quotidienne est insoupçonnée, clame-t-elle. Notre travail repose sur le mode de consensus dont l'aboutissement final est la prise en compte réussie des intérêts particuliers et de l'intérêt collectif. » N'est-ce pas déjà, quand on y pense, une forme de projet politique, ne serait-ce que par le verbiage creux qui sonne comme un tambourin ?

Normal, François Hollande l'est peut-être. Enfin, c'est lui qui le dit. Les électeurs-consommateurs que nous sommes ne sont pas obligés de le croire. Que vaut la parole d'un homme politique qui emploie le mot « sociétal » à tout bout de champ ? (Par exemple, sur son blog : « En matière sociétale, deux principes doivent l'emporter : la liberté et l'égalité. ») S'il pouvait produire un certificat, ah ! ça serait autre chose. Un diplôme de normalité, visé par un organisme indépendant et exigeant, voilà qui calmerait nos pauvres nerfs fragilisés. On veut des preuves, quoi. S'adresser à l'Afnor enverrait aux Français un signal fort, responsable, transparent.

Ce serait un examen à passer. Rien de bien méchant. Il y a bien eu une époque où l'on perdait trois jours à se faire tester pour le service militaire. Apte ou pas apte ? Testons François Hollande. Réagit-il à l'insulte ? Tient-il bien l'alcool ? A-t-il la main baladeuse, le regard baveux ? Est-il du genre à avoir une érection en public ? Que se passe-t-il si on le laisse seul avec de jeunes garçons aux corps enduits d'huiles parfumées ? On fait faire des check-up aux cosmonautes, aux pilotes de ligne, aux moniteurs de plongée. Pourquoi en irait-il autrement d'un président de la République, pilote de toute la nation, porte-drapeau de notre honneur déjà trop souillé ?... Ça nous rassurerait d'avoir un expert qui déclare, solennellement, que le citoyen François Hollande ne se masturbe pas par la fenêtre. Qu'il ne deale pas sur Internet des petites culottes déjà portées. Que, quand il pisse, il touche sa cible à 85 %, ce qui est plutôt dans la fourchette haute de la population masculine, même s'il lui arrive de renifler ses doigts après. Qu'il est vraiment normal, en somme, apte pour le service suprême de l'État.

Pas besoin de créer une norme spécifique « François Hollande » et d'alourdir la nomenclature vastissime de l'Afnor. On en prendra une qui existe déjà, comme la NF 1 037 — « Prévention de la mise en marche intempestive » — ou la NF 21 670 — « Écrous hexagonaux à souder, à embase ». Tout le monde comprendra que l'on parle du président. Et l'on pourra enfin dormir tranquille, tout en regrettant de n'y avoir pas pensé plus tôt : si strauss-kiki avait été certifié NF 294 — « Distance de sécurité pour empêcher l'atteinte des zones dangereuses par les membres supérieurs » —, nous aurions évité bien des embarras.

JUILLET, MOIS DU DOPAGE

Où se procure-t-on un bon produit dopant aujourd'hui ? Comme un seul homme, les amateurs de la Grande Boucle lèvent le doigt. La question est trop facile, limite grotesque : songez que tous les vainqueurs du Tour de France depuis 1997, date de la mise en place des contrôles systématiques d'hématocrite par l'Union cycliste internationale, ont été plus ou moins mouillés dans le dopage, trempés même, pour certains, et que la série n'est pas près de s'arrêter, ma petite seringue me le dit. Car les tests deviennent plus vicieux. Un tout récent est capable de détecter la présence infime de particules de plastique provenant des poches de transfusion. Quand il sera homologué, ça va jaser dans le milieu. Révélations en perspective et beaux tirages pour *L'Équipe*.

C'est à se demander pourquoi le site officiel du Tour n'en souffle mot, du dopage. Avec un tel déficit d'image, j'aurais parié, moi, sur une page « transparence », où l'on nous aurait expliqué comment la fée Propreté est venue au cyclisme, comment elle s'échine aux contrôles systématiques, avec ses laboratoires ambulants où rien n'est laissé au hasard. On aurait pu imaginer un lexique pour le néophyte, définissant les mots EPO, Clenbuterol, échange d'urine, etc. Et une liste des vedettes épinglées — mention spéciale à Richard Virenque et Pedro Delgado. Au lieu de quoi, on nous parle de vitesse moyenne du vent, de « profil » pour l'étape du jour, du classement par points, par équipes, par maillot et par slip, le tout saupoudré de réclame visqueuse : on peut parier sur le vainqueur final (un service proposé par PMU. fr) ou s'offrir le jeu du Tour de France « enfin sur consoles » pour « entrer dans la légende ». Il y a aussi une boutique officielle où se vendent maillots jaunes Nike (50 euros tout de même), casquettes, parasols, chaises pliantes, sacs, jeux de cartes, porte-clés et bavoirs (10 euros), tous les indispensables de la beauf attitude de juillet — mais pas de corticoïdes pour le moment.

La « transparence » n'est pas encore venue au cyclisme. Viendra-t-elle à la natation ? Cesar Cielo, le champion du monde des 50 et 100 mètres nage libre, vient d'être contrôlé positif à un diurétique. Il a reçu un avertissement de sa maman, la Confédération brésilienne des sports aquatiques. En conférence de presse, le champion avoue sa perplexité : « Tout au long de ma carrière, j'ai toujours eu le plus grand soin avec chaque type de médicament ingéré. » Un athlète besogneux, ça fait plaisir. Ce doit être un sacré boulot, tout contrôler. La moindre pilule, injection, inhalation. Pour rester dans la norme. Pour rester indétectable. Mettre toutes les chances de son côté tout en testant l'intelligence du gendarme. Heureusement, il n'est pas seul dans son œuvre titanesque. « Partout dans le monde, où que je sois, je consulte toujours mon médecin et mon père, qui est médecin, sur les composants de n'importe quel médicament ou complément avant de les ingérer. » Et là, patatras ! On comprend qu'il soit déçu. Mais d'où vient donc la méchante molécule ? D'un complément alimentaire auquel il n'a pas fait suffisamment attention. Moralité : « Je me considère comme un athlète exemplaire à l'égard du dopage. »

Il nous reste le football. Là, tout est d'équerre. C'est saint Platini lui-même qui s'absout dans *Libération* : « Non, je ne pense pas qu'il y ait du dopage dans le football. » Nous voilà soulagés. Et il ajoute, catégorique : « Je ne pense pas que le dopage serve à quoi que ce soit. » Tu as raison, Michel. Le foot est un art, il n'a pas besoin de ces basses combines. Laissons le dopage à l'haltérophilie, à la lutte gréco-romaine, au tennis de table. Le foot a en lui une supériorité morale naturelle qui le met au-dessus des contingences matérielles. Ça doit être ça.

PARIS TRAMPOLINE

Amateurs de promiscuité, d'eau verdâtre sentant bon les latrines, de lard corporel exhibé sans complexes dans la bruine des pots d'échappement, vous avez touché le gros lot ! Paris Plages est de retour et il est plus envahissant que jamais, allant du square de l'Hôtel de Ville au tunnel des Tuileries.

5 000 tonnes de sable sur la voie Georges-Pompidou, contre les maigres 400 tonnes de l'année dernière, c'est une avalanche ! Du jamais vu puissance dix, pour les dix ans de la manifestation. Normal, quand on aime la populace, on ne compte pas (les grains de sable). Une machinerie ondulante, en parpaings de bois, le long des rives crée pour nous un véritable effet de dune, et des activités nautiques sont déployées sur le bassin de la Villette. Il faudrait être vraiment de mauvaise foi pour ne pas se croire en bord de mer, surtout si l'on ferme les yeux, que l'on se bouche le nez et que l'on se verse un peu de musique Nature et Découvertes. Collectionneurs de poumons à l'ozone, de sable cracra où bourgeonnent mégots et capotes, de ballons de beach-volley qui atterrissent dans la figure, de gaufres dégoulinantes de graisse au Nutella, vous passerez du bon temps dans « la fête, le plaisir, la joie et le goût du partage » (je copie dans À *Paris*, le fanzine de Delanoë).

De quoi je me plains, franchement ? Quand on mène une vie de Parigot-tête-de-veau, c'est pratique d'avoir quelqu'un qui organise nos loisirs à notre place. L'autorité décide de tout, on n'a plus qu'à se laisser faire. On écoute de la musique le 21 juin, à la Fête de la musique, et on passe une nuit blanche le 1er octobre, à la Nuit blanche. Le 23 mars, les pouvoirs publics s'inquiètent de mon trou du cul en me faisant visiter le côlon géant installé en face de la gare Montparnasse. Bientôt, un signal sonore diffusé par haut-parleur indiquera l'heure de se vider la vessie, et, sans se poser de questions, on ira tous, dans un même élan, se soulager en commun, pour que se réalise enfin la « rencontre des générations, des classes sociales, des cultures », cette devise Paris Plages calquée sur Les Sims, le jeu vidéo où l'on formate des vies virtuelles.

L'équipe municipale, omnisciente, sait bien que nous sommes de grands enfants désœuvrés. Pour souligner encore plus notre état de dépendance, Paris Plages installe du mobilier surdimensionné : de gigantesques transats sur lesquels on a du mal à monter. Ne rappellent-ils pas comme on portait beau nos couches-culottes ? Après avoir été ainsi infantilisé, au sens littéral du terme, c'est tout naturellement que l'on peut « prendre le départ d'un circuit de billes » ou nous « initier à la sculpture sur sable ». Petits et grands chiards ! Paris Plages est un « paradis » : les enfants, « au milieu des pierres séculaires, au bord de l'eau, goûtent un peu d'insouciance et de liberté ».

Reste à se débarrasser de ceux qui, comme moi, détestent la plage et ses armées de corps dénudés, enduits de beaufitude et échoués comme des baleines, annonçant la morgue, où ces mêmes corps joueront, pour de bon cette fois, la carte de la « rencontre des générations, des classes sociales et des cultures ». Ceux qui ont toujours considéré la plage comme un échec des congés payés, et non une réussite sociale. À ceux-là on envoie un peu de com aux yeux, pour les isoler, leur faire honte.

En dix ans, c'est chose faite. La tumeur s'est développée. Il est temps pour elle de faire des métastases. L'année prochaine, avec la rénovation des voies sur berges, « restituées aux amoureux de Paris », attendons-nous à un Paris Montagne, un Paris Bricolage, un Paris Trampoline.

BONJOUR, GONOCOQUE

À quoi sert le mois d'août ? À attraper une MST, nous dit l'INPES (Institut national de prévention et d'éducation pour la santé), dans une campagne de « sensibilisation » — la seule chose que les pouvoirs publics sachent faire aujourd'hui, l'alpha et l'oméga de leur raison d'être face à ces grands neuneus que nous sommes. Il paraît toutefois que le danger est réel : les méchantes MST nous attendent au détour de chaque coup de kiki inconsidéré. Sans parler du sida, il y aurait 7 000 nouvelles infections chaque année, touchant en priorité les jeunes (ah ! ces jeunes ! décidément une population maudite en France). Alors, pour que nos petites têtes de linotte à la bite dure, à la foufoune accueillante, aillent faire un dépistage avant de contaminer leurs camarades, on imagine une campagne « qui joue la carte de l'humour », comme on dit sobrement dans les agences de com quand on veut vendre à l'annonceur une idée particulièrement débile.

L'humour réalise ici un passage en force, en effet, digne des plus grands moments du regretté Benny Hill. Le *big joke*, imparable, c'est le déguisement. Des microbes à taille humaine — ce sont des acteurs vêtus de combinaisons dégueus et maquillés comme des SDF — sont interviewés sur un plateau où l'on tourne, justement, une campagne de l'INPES. « Gonocoque, bonjour », dit la journaliste. « Je vous en prie, appelez-moi Gono », répond le boute-en-train, dont on découvrira ensuite la sournoiserie latente : il est capable de provoquer des septicémies et des stérilités aussi bien chez l'homme que chez la femme. « Je peux faciliter la transmission du VIH », se vante-t-il en nous riant à la figure avec ses dents jaunâtres. Mais qu'on se rassure : « Si vous prenez vos petits médicaments, je deviens totalement anodin. » Ouf, on a failli avoir peur. Mais ce que Gonocoque n'aime pas du tout, les enfants, c'est le dé… c'est le dé… c'est le dépistage, voyons, on vous l'a soufflé au paragraphe précédent. Comme ses collègues syphilis, chlamydia ou hépatite B, il ne veut pas en entendre parler. La journaliste répète pourtant, sur tous les tons, histoire d'enfoncer la meule dans nos têtes écervelées : dépistage ! Le microbe, lui, fait semblant d'entendre « démâtage », ou « débauchage », ou « déménage », dans une interminable séquence censée être désopilante, où le spectateur finit par ressentir la terrible honte d'être ainsi englué dans une mare infantilisante, un texte cucul, une mascarade grotesque.

Remarquez, les microbes, c'est une question de goût. Il y en a qui aiment. *Têtu* parle de « spots drôles et décalés », *France-Soir* de « campagne originale ». Et si, au lieu de critiquer, je reprenais moi aussi la bonne parole, pour que tous ensemble, dès demain, on se donne la main pour aller nous faire dépister, collectivement et solidairement ?

Je veux bien. Mais avant, je voudrais que l'INPES me donne les premiers résultats. La campagne est en place depuis juin. Alors je m'interroge. Combien de jeunes ont commencé leurs vacances par un dépistage de gonocoque ? Quel pourcentage de hausse pour la vente de préservatifs par rapport à un été sans « sensibilisation » ? Combien de gens connaissent le mot « chlamydia », tout simplement ? Ces chiffres, que je soupçonne voisins de zéro, ne seront jamais connus. D'abord il n'est pas sûr qu'ils existent. À quoi bon mesurer l'efficacité d'une campagne de sensibilisation ? C'est dangereux, ça. Que ferait-on si d'aventure on s'apercevait de l'inutilité patente de tous ces slogans, réclames, gesticulations ? Un esprit mal tourné pourrait douter du bien-fondé de la démarche. Ce serait bien cruel pour les pouvoirs publics. Autant bloquer la roue d'un écureuil en cage. Sans son exercice quotidien, le pauvre animal dépérirait rapidement.

CHARTES D'ADHÉSION

« Je me reconnais dans les valeurs de la gauche et de la République, je ne possède pas de Porsche et ne compte pas en acquérir, aucun de mes amis n'en possède et n'en possédera jamais, et je chie sur les options cuir et toit ouvrant, qui sont des symboles de l'arrogance des nantis. »

« Je me reconnais dans les valeurs de la gauche et de la République, dans le projet d'une société de travail, de famille, de patrie, de drapeau tricolore au balcon, de désirs d'avenir, d'envies de demain, d'oiseaux qui chantent le progrès et *La Marseillaise.* »

« Je me reconnais dans les valeurs de la gauche et de la République, suivant en cela les acquis de la loi du 19 vendémiaire de l'an I de l'ère de la Liberté portant sur la nationalisation des lieux de culte autres que ceux proclamés sacrés par la République, je promets de m'amuser à la Fête de la musique, le 3 messidor prochain, an CCXX, et, plus généralement, de satisfaire dans la mesure de mes pauvres moyens aux exigences de l'Être suprême. »

« Je me reconnais dans les valeurs de la gauche et de la République, dans le projet d'une société où le soleil brille sans sécheresse, où la pluie mouille sans moisi, où les érections durent plus longtemps que mes insomnies et où les finances publiques surnagent sans déficit ni bouée d'aucune sorte. »

« Je me reconnais dans les valeurs de la gauche et de la République, dans le projet d'une société normale, avec un président tiède, oscillant entre 36,8 °C et 37,5 °C, en fonction des aléas climatiques et viraux, portant haut les valeurs de la normalité, du bon sens, du consensus et de la médiocrité citoyenne, une société amaigrie mais en forme, s'épanouissant loin de certains excès éjaculatoires sur femme de ménage dont il n'est pas bon de remuer le souvenir. »

« Je me reconnais dans les valeurs de la gauche et de la République, où les salles polyvalentes et les pissotières appartiennent au peuple de gauche, exclusivement, au point où l'on peut en faire des bureaux de vote privatifs à l'usage d'un parti de gauche, à condition que ce parti ne soit pas communiste, trotskiste, écologiste, anticapitaliste ou divers. Il est entendu par ailleurs que, dans ces lieux consacrés, le peuple de gauche fera l'effort de voter solidairement à gauche, ayant à sa disposition un large choix d'hommes et de femmes de gauche, dans la plus totale transparence. »

« Je me reconnais dans les valeurs de la gauche et de la République, je ne crains pas l'opinion du voisin qui m'aura aperçu à la primaire citoyenne, son jugement ne me touche en aucune manière, au contraire, je n'ai pas honte de me proclamer de gauche à la face du monde et de la chienlit, car je porte en moi la supériorité morale dont jouissent tous ceux qui défendent les valeurs de la solidarité fraternelle, de l'égalité laïque et du parler-chantilly que nous jalousent les réactionnaires de droite et du centre. »

« Je me reconnais dans les valeurs de la gauche et de la République, dans le projet d'une société de liberté, d'égalité, de fraternité, de laïcité, de justice et de progrès solidaire. »

XAVIER DUPONT DE LIGONNÈS
AU JT DE 20 HEURES

CLAIRE CHAZAL : Bonjour, Xavier de Ligonnès, merci d'être là avec nous. Vous avez été accusé d'avoir tué votre femme et vos quatre enfants, et de les avoir enterrés sous la terrasse de votre maison. Vous n'avez pas donné votre version des faits, alors que jusqu'à présent nous avons longuement entendu la police, et elle seulement. [Pause.] Pouvez-vous nous dire ce soir ce qui s'est passé dans votre maison de Nantes ce lundi 4 avril ?

XDdL : Beaucoup de gens se sont exprimés sur cette affaire. [Pause.] Sauf moi. [Pause.] J'ai toujours clamé mon innocence et je suis content d'être ici ce soir. Alors je vais vous dire ce qui s'est passé. Il n'y a pas eu d'agression sexuelle. Voilà. Ce n'est pas moi qui le dis, c'est le procureur. Est-ce que c'était une faiblesse ? Je crois que c'est plus grave que cela : c'était une faute, une faute morale. Une faute vis-à-vis de ma femme, de mes enfants, de mes amis. Mais aussi une faute vis-à-vis des Français. Ils ont été choqués, et je les comprends. Et je n'en suis pas fier. Je l'ai regretté tous les jours au long de ces cinq mois, et je n'ai pas fini de le regretter.

CLAIRE CHAZAL : Est-ce que vous estimez que les médias ont été particulièrement violents à votre égard ?

XDdL : Comment vous dire ? [Pause.] J'ai eu peur, j'ai eu très peur. Quand vous êtes pris dans les mâchoires de cette machine, vous avez l'impression qu'elle peut vous broyer. Dans cette affaire, j'ai vécu des choses violentes, oui. Un piège, c'est possible.

CLAIRE CHAZAL : Mais tout de même, tuer comme ça votre femme, vos enfants, est-ce bien raisonnable ?

XDdL : Ma femme est une femme exception-nelle. J'ai eu une chance folle de l'avoir. [Pause + soupir.] Je lui ai fait du mal. Je le sais. Je m'en veux.

CLAIRE CHAZAL : On vous a cherché partout pendant plusieurs mois. Et vous, pendant ce temps, vous habitiez tranquillement dans une belle maison.

XDdL : On a trouvé un deux-pièces de 20 m². Les voisins ont fait une pétition pour que je parte, et je les comprends. Alors on a loué une maison, pour ne pas avoir de voisins. Je n'ai pas aimé cette maison. Elle a coûté cher. Mais c'était ça ou bien…

CLAIRE CHAZAL : Vous savez que cette histoire choque à la fois les femmes et les défenseurs de l'enfance maltraitée.

XDdL : Je comprends que vous abordiez ce point. J'ai lu mille fois dans la presse ce qui a été dit, le portrait que l'on a fait de moi. Et ce portrait, moi, je ne l'aime pas. Même si j'y ai ma part de responsabilité. C'est tout le contraire. J'ai du respect pour les femmes. [Pause + début de larme.] J'ai vu la douleur que j'ai créée autour de moi. Et j'ai réfléchi. J'ai beaucoup réfléchi. Et cette légèreté, je l'ai perdue. [Pause.] Pour toujours. [Pause.] Je ne suis bien évidemment pas candidat à l'élection présidentielle.

CLAIRE CHAZAL : Parlons maintenant de musique country. Vous êtes un amateur éclairé. En ce moment, on parle d'un mouvement qui vise à intégrer Wanda Jackson à la country. Êtes-vous inquiet ?

XDdL : Je ne suis pas inquiet. Mais pour cela il faut bien comprendre ce qui s'est passé. Le chemin de crête est difficile. La boule de neige grossit. Claire Chazal, le piège est un peu évident.

CLAIRE CHAZAL : Alors, Xavier de Ligonnès, avant de conclure, revenons un peu à vous-même. Comment imaginez-vous votre avenir ? Vous exercerez dans le privé ?

XDdL : Je vais d'abord [pause] me reposer. Je vais prendre le temps de réfléchir. Mais toute ma vie a été consacrée à essayer d'être utile et [pause] on verra.

CLAIRE CHAZAL : Merci beaucoup, Xavier de Ligonnès, d'être venu sur ce plateau.

XDdL : … [Pause christique.]

LE PAKT

Nous, soussignés Dominique et Martine, faisant état de la pleine possession de nos moyens intellectuels, moraux, sexuels et autres, déclarons solennellement par la présente que :

1. Un lien est établi entre nous ; ce lien sera dénommé PAKT — *Presidential Activation Kindly Transfer* —, l'utilisation de l'anglais faisant référence aux primaires démocrates américaines dont nous sommes les dignes dépositaires et uniques héritiers.
2. Le susnommé PAKT a pour objet de garantir la victoire de l'un ou de l'autre des signataires du PAKT à la primaire socialiste, et de conduire à l'élimination des parasites.
3. Il sera notamment utile à la neutralisation de la Hollande [nom de code, décrypté en annexe, pouvant désigner une personne ou un groupe de personnes].
4. Carte Centurion étant de toute façon hors course depuis l'affaire des montres, ainsi que Sang Contaminé [noms de code, décryptés en annexe], le PAKT permettra d'écraser le Morpion, le Ouistiti, le Filou, la Teigne, le Geignard, le Troufion et le Neuneu [noms de code, décryptés en annexe].
5. Fonctionnement du PAKT. Quand c'est-y Dominique qui est en tête d'un sondage, quel

qu'il soit et où que ce soit, Martine s'engage à se retirer de la compétition et à apporter ses voix, ses soutiens et sa Carte bleue (avec le code) à Dominique. Dans le cas peu probable où c'est-y Martine qui est en tête, on refait un sondage jusqu'à l'obtention du résultat désiré. En cas d'égalité parfaite, le mâle alpha aura la priorité. Si le résultat se fait attendre ou en cas de contestation, on pèsera les signataires à la balance et le plus lourd l'emportera, à condition que ce ne soit pas Martine.

6. Cas de force majeure. Si d'aventure Dominique se faisait laminer par un train ou s'il changeait d'avis et ne voulait plus y aller, il avertirait Martine par un coup de fil approprié en employant la phrase convenue « De là où je suis, la France, c'est loin et c'est petit », répétée trois fois. Il garderait toutefois la possibilité de revenir dans la course à tout moment et sur simple vœu. Martine s'engage alors à faciliter sa réacclimatation, notamment par un emploi judicieux de petites phrases.

7. Le PAKT sera absolument secret. Les signataires s'engagent à ne pas parler du PAKT. Si on les interroge, ils nieront. Il n'est pas honteux de mentir pour préserver le secret du PAKT. Si une taupe ou un journaliste brandit le PAKT devant leurs yeux, ils diront que c'est une provocation de la Hollande [nom de code, décrypté en annexe] et ils invoqueront la présomption d'innocence. On pourra employer les expres-

sions suivantes : « PAKT, quel PAKT ? Est-ce que j'ai une gueule de PAKT ? » ; « Ça ne s'appelle pas un PAKT, ça s'appelle une réflexion collective » ; « Est-ce que j'ai l'air d'un(e) candidat(e) par défaut ? », etc.

7 bis. Seul Dominique pourra parler du PAKT, quand ça l'arrangera, en fonction des opportunités médiatiques, ou quand il faudra jouer la carte de la sincérité.

8. Le PAKT n'autorise aucune interprétation sexuelle ou prêtant à équivoque. Il est déplacé, dans le cadre du PAKT, d'utiliser Martine comme vide-couilles et il ne donne aucun passe-droit sur le braquemart de Dominique. Une relation libre et consentie peut néanmoins se nouer entre les signataires du PAKT sans préjuger de l'application du PAKT.

9. La mise sous curatelle de Martine n'est pas abordée par le présent document, et le PAKT ne peut servir à une demande en ce sens auprès du juge des tutelles.

10. Le PAKT ne sera pas signé à Varsovie mais à Marrakech, en deux exemplaires.

FROTTONS-NOUS LES UNS LES AUTRES

Tout est bon dans le dindon. Sauf qu'il n'y a pas de dindon ici, mais une poule, un paresseux, un buffle, un lama cracheur de chewing-gum et une grenouille fraudeuse. La dernière campagne de la RATP pour lutter contre les incivilités est un modèle de finesse, d'humour désopilant très poilant et de triomphe esthétique *made in Photoshop,* en affiches 4 x 3, dans toutes les stations, sur toutes les lignes. Le matraquage se poursuit à même les portillons où un autocollant taquine la rime débile : « Qui saute par-dessus 1 tourniquet peut tomber sur un contrôle à quai. »

On est prié de croire que la campagne sera une réussite. Il ne peut en être autrement : on imagine comment l'apprenti délinquant, pressé de rentrer dans ses pénates « Toit et Joie » de Bagnolet, alors qu'il avait déjà pris son élan pour se projeter par-dessus le tourniquet dans un superbe hommage à Sergueï Bubka aux JO de Barcelone, s'assagit soudain et, tremblant de retenue et de honte, prend le temps de déchiffrer le message, de le comprendre avec ses trois neurones, puis, redoutant en effet de croiser un méchant justicier de la RATP sur le quai de la station République, direction Gallieni, réfléchit, débande et se range sagement dans la queue au distributeur automatique où s'impatientent déjà quinze personnes.

Avec la même efficacité publicitaire redoutable, une poule se pâme dans l'autobus, le portable collé à l'oreille, sous le slogan accusateur : « Quand elle est à 86 décibels, une confidence n'a plus rien de confidentiel. » Au passage, elle sait évidemment qu'un décibel est une unité relative de l'intensité acoustique, et qu'une conversation à 86 décibels correspondrait au niveau sonore d'une tondeuse à gazon ou d'une tronçonneuse, ce qui en effet ne manquerait pas de faire bondir tout l'autobus, voire celui d'à côté. Chez Publicis, on a sans doute oublié de relire.

Inimitable également, l'affiche « Qui paresse aux heures de pointe risque 2 ou 3 plaintes », où un paresseux dans le rôle du passager incivique étale sa masse de bœuf sur un strapontin, sous le regard affligé d'une dame âgée pas cool.

Pas de campagne contre les frotteurs, en revanche, et c'est une grosse déception. J'aurais bien vu, moi, un visuel de gorille, solidement doté par la nature, en train d'astiquer son strausskiki sur une voyageuse. Avec comme slogan, au choix : « Quand tu te branles ni vu ni connu, tu indisposes les inconnues » ou « Qui contre un fessier d'autrui se frotte est un citoyen de chiotte ». Peut-être pense-t-on à la RATP que ces dégénérés, à la vie sexuelle si misérable qu'ils en sont réduits à se frotter contre des femmes lessivées par une journée au bureau et rentrant chez elles aux heures de pointe, méritent un peu de compassion solidaire ?... Peut-être est-ce pour cela qu'il y a autant de monde dans les transports en commun, afin de permettre à ces pauvres bougres d'avoir un chouia de vie sexuelle ? On peut se demander, à y réfléchir, si la RATP n'encourage pas le frottage quand elle appelle ses clients des « usagers », avec tout ce que cela comporte comme sous-entendus Kleenex, ou quand elle met des trains courts les dimanches dans le RER, obligeant un tiers du quai à s'entasser en catastrophe dans le wagon de tête. Sans même parler des grèves — le nirvana des frotteurs. Vivement la prochaine, tiens. Qu'on aille tous se frotter la conscience tranquille, protégés par l'humanisme de la RATP et un slogan Publicis à l'avenant. « Qui se frotte aux heures de grève peut éjaculer sa sève. »

SNCF, NOUVELLES CONDITIONS GÉNÉRALES POUR LES USAGERS

« Suite à la recrudescence des violences verbales et physiques sur le personnel navigant, et afin de limiter le recours à la grève, pénalisante pour tout le monde, j'ai lu et j'accepte les conditions générales de comportement ci-dessous :

Le contrôle des billets étant indispensable à la prospérité de la France, je reconnais que le cheminot-contrôleur est là pour mon bien et pour celui de la nation tout entière. C'est un homme bon, souvent père de famille. Citoyen besogneux, il a un métier difficile que je dois respecter.

C'est pourquoi je fais tout ce qui est en mon pouvoir pour faciliter le travail de contrôle. Je tends mon billet spontanément, sans qu'il soit nécessaire de me le demander. Ce geste n'est ni trop brusque, pour éviter les malentendus, ni trop lent. Pendant le contrôle, je garde mes mains visibles, bien à plat sur la tablette ou sur le dossier du siège devant moi. Je ne parle que si le cheminot-contrôleur m'y invite par une question appropriée ou par un hochement de la tête.

Je réponds poliment à toutes les questions qu'un cheminot-contrôleur me pose et je n'élève pas la voix. En sa présence, je ne suis pas avachi. Je me redresse sur mon siège et j'ajuste le nœud de ma cravate. Je veille à être rasé de près et je n'abuse pas de l'eau de parfum.

On baisse les yeux. On connaît sa place. On se souvient que le cheminot-contrôleur a le pouvoir de faire stopper un train et de jeter l'usager dehors. Il est l'autorité. Il est la loi. Mais il n'est pas moins homme : son uniforme cache un cœur délicat. Il a des rêves, des projets pour les vacances. Il lui arrive de lire Mallarmé ou Paul Éluard. Quand on le pince, il a mal ; quand on le pousse, il tombe. Un regard trop appuyé pourrait le froisser, lui faire peur.

Je prends la bonne habitude de voyager sans bagages, principe de précaution oblige. On n'est jamais à l'abri de la chute d'une valise portant ainsi atteinte à l'intégrité physique d'un cheminot-contrôleur. Sans parler des sacs qui traînent leurs sangles par terre : autant de pièges pour ses jambes fatiguées.

Je ne dors jamais dans un train afin d'éviter les rêves désagréables qui pourraient me rendre agressif. Le train n'est pas un motel. Si je sens que je pique du nez, en particulier lors d'un voyage en couchette, je dois me ressaisir par une bonne claque citoyenne. Ayons à l'esprit qu'un cheminot-contrôleur ne dort pas, lui. Ce doit être particulièrement pénible pour cette petite abeille de déambuler dans des compartiments où des usagers se prélassent, hébétés, ou ronflent comme des marteaux piqueurs.

Je ne vais pas aux toilettes. En ouvrant la porte trop brusquement, je pourrais effrayer un cheminot-contrôleur, voire le heurter. De plus, cet homme n'a pas à subir les mauvaises petites odeurs à chaque fois qu'il traverse un wagon. Que diriez-vous si l'on mettait systématiquement votre bureau près des toilettes ? Un peu de décence, tout de même.

Je m'habille sobrement, sans bijoux ostentatoires ni vêtements de marque qui pourraient humilier le cheminot-contrôleur en lui faisant sentir une différence de niveau social. En cas de doute, une tenue correcte, uniforme, beige-kaki, taille 56, est à la disposition des usagers dans les points information de la SNCF.

À défaut d'application de ces directives, le droit de retrait serait automatiquement actionné, pour le plus grand préjudice de tous. Tâchons d'éviter cet écueil par une autodiscipline rigoureuse. Le progrès ne vaut que s'il est partagé par tous. »

CALAGES DE COMMUNICATION

Pour les prochains meetings de François Hollande, afin de rester en phase avec l'opinion publique et les aspirations des sympathisants, tout en jouant sur les spécificités du futur président, l'agence Euro RSCG fait les propositions suivantes :

Option de com n° 1. François arrive en scooter. Musique des Pink Floyd, *Time,* en arrière-fond, mâtinée de Benjamin Biolay, *L'Homme de ma vie.* François est accueilli par Martine, Arnaud, Ségolène, Manuel et Jean-Michel, rangés dans l'ordre décroissant des résultats aux primaires. François passe ses amis en revue. Il a le sourire modeste des grands soirs. « C'est grâce à vous que j'en suis là. » Chacun met un genou à terre en signe de soumission bénévole. « Non, relevez-vous, nous avons tous gagné ce soir, et je n'oublie pas nos amis de l'écologie et du Front de gauche. » Prévoir des larmes de joie.

Option de com n° 2. Seuls les journalistes et relais d'opinion sont présents. Un diaporama montre les unes des grands quotidiens et news - magazines déjà parus. *L'Express* — « Hollande l'ambitieux », « Hollande intime » —, *Le Nouvel Obs* — « Hollande secret », « Hollande le conquérant », etc. François fait défiler une liste de sujets consensuels sur un prompteur géant. « Hollande et la salle de bains », « Hollande, une enfance ordinaire », « Hollande et les allergies alimentaires », « Mon doudou Hollande », « Hollande, 36,8 °C sous l'aisselle, 37,2 °C dans le fion », etc. Sur le principe des ventes super-flash où l'on a quatre secondes pour faire son choix, le premier journaliste qui lève le doigt gagne le sujet pour sa prochaine une. Prévoir une confidence dans le registre de l'intime. « François aime les crêpes au Nutella, même si ce n'est pas très raisonnable. » « C'est quand ils regardaient ensemble la Star Ac que le déclic entre François et Valérie s'est produit. »

Option de com n° 3. Un cercueil est posé au premier plan sur la scène. Derrière, une Porsche encastrée dans un platane laisse s'échapper un filet de fumée. Sur le côté du cercueil s'allume une grande lettre « D ». Puis « S », puis « K ». Musique de *Psychose,* scène de la douche. Les lettres se fissurent, disparaissent. Le couvercle se soulève majestueusement. François surgit, dans un linceul immaculé. Une jeune militante apporte alors un bouquet de roses rouges. François se penche au-dessus de son cou et fait semblant de la mordre. Le linceul tombe, la musique s'arrête. Ouf, ce n'était qu'une blague. « Qui a dit que j'étais mou ? » Alors une horrible bestiole gluante apparaît à droite. Elle porte une gourmette en or, une Rolex, des talonnettes. Ni une ni deux, François la trans-perce avec une hallebarde. « Qui a dit que je ne fais pas le poids ? » Prévoir des spots de 1 500 W, pla-cés à l'intérieur du cercueil, pour un éclairage façon Alice Cooper, et des *screams* enregistrés.

Option de com n° 4. François est assis sous un chêne puissant. Il est vêtu sobrement, une toge en jute rugueux et sa cravate de présidentiable, bleue ou anthracite. Une file d'indigents attend patiemment qu'il les fasse s'approcher un par un. Le casting : un chômeur de plus de 50 ans, un irra-dié de Fessenheim et Tristane Banon. À chacun il offre consolation et miséricorde. « Toi, chômeur, tu retrouveras du travail. Va. » « On a besoin de toi, l'irradié. Pense "service public". Hamon, serre la main de monsieur. » « Joli nom, Tristane. Ça me dit quelque chose, Tristane. J'ai dû entendre ça dans une autre vie. Amusant. » Prévoir une serin-gue de sédatif.

Bien entendu, ces propositions nécessite-ront un calage.

LES FRANCS-MAÇONS
ET LA SOUPE AU CACA

Montons en audience. Plaçons-nous en orbite stationnaire. Osons affronter les grands problèmes de société qui font le bonheur des news magazines à la française. Le marronnier déménage. Il n'y a pas de raison que ça soit toujours les mêmes qui en profitent. Les francs-maçons sont à tout le monde ! Nous avons le droit, nous aussi, de vendre du papier. Même si le terrain est déjà brouté par *L'Express, Le Point, Le Nouvel Obs,* etc., on devrait être capables d'y trouver un peu d'herbe brune à nous mettre sous la dent. Les journalistes le savent : les francs-maçons, quand il y en a pour cinq, il y en a pour six.

Le public en raffole. Ça lui parle, les francs-maçons. Aux plus anciens, ça rappelle leur jeunesse, Vichy, les articles de *Je suis partout* et d'*Au pilori,* les jolies affiches de propagande, les brochures de recrutement de la Légion des volontaires français (LVF)... Les plus jeunes, eux, se retrouvent dans la théorie du complot, les pouvoirs occultes, les rites initiatiques et leurs chapelets de fantasmes à connotations orgiaques. Les passe-droits supposés dont bénéficierait le franc-maçon ont toujours fait enrager et rêver les Français.

Unes récentes de *L'Express* : « Les francs-maçons et le pouvoir » (février 2008) ; « Les francs-maçons au cœur de l'État » (mars 2009) ; « Guerre ouverte chez les francs-maçons » (mars 2010) ; « L'Élysée, la droite et les francs-maçons » (septembre 2010) ; « Comment on devient franc-maçon » (avril 2011). Décliné en éditions régionales, cela donne : « Aisne. Le vrai pouvoir des francs-maçons » en avril 2010 ; « Nîmes. Le vrai pouvoir des francs-maçons » (janvier 2011), *idem*, à Bordeaux, Perpignan, Valence... Toute la France est occupée, on dirait. *Le Vif* (édition belge de *L'Express*) y ajoute un je-ne-sais-quoi de parfumé : « La justice noyautée par les francs-maçons » (octobre 2008) et « La vérité sur l'argent des francs-maçons » (mars 2011).

Unes du *Point* : « Francs-maçons » (janvier 2008) ; « Les francs-maçons de Sarkozy » (mars 2009) ; « Les bastions des francs-maçons » (janvier 2010) ; « Francs-maçons : le grand retour » ; « Francs-maçons, la main invisible » (janvier 2011) ; « Les présidentiables et les francs-maçons »... Au *Nouvel Obs* : « Le vrai pouvoir des francs-maçons » (novembre 2009). « Francs-maçons. Le grand déballage » (janvier 2011) ; « Les francs-maçons en campagne » (août 2011) ; À *Jeune Afrique* : « Ces francs-maçons qui vous gouvernent » (avril 2011). Au *Soir Magazine*, un improbable « Le prince Laurent et les francs-maçons » (avril 2011). À *Nord Éclair*, parité oblige : « Les franc-maçonnes se dévoilent, sans fard » (avril 2011).

Enlevez le mot « Juifs » dans le titre du collaborationniste illuminé Léon de Poncins,

Juifs et francs-maçons à la conquête du monde, et vous obtenez la une de *L'Express*. Photocopiez l'affiche du film *Forces occultes* de Jean Mamy, auxiliaire de la Gestapo fusillé en 1949, et vous avez la une du *Point*.

Les donneurs de leçons, les Attali, les BHL, tous ces prêts-à-signer les pétitions, tous ces professionnels de l'indignation qui mijotent dans nos magazines, ne sentent pas l'odeur de leur une racoleuse — ils ont le rhume sélectif. Comment fait Plantu pour mettre son dessin juste après une couverture de *L'Express* que ne renierait pas *Minute*, dont le dossier spécial « Enquête sur les francs-maçons » est toujours en tête de gondole ?

Quant à la soupe au caca, promis, on en parlera dès qu'on en aura une, de minute. En attendant, ne manquez pas, la semaine prochaine, notre grand dossier immobilier, « Se loger au centre d'Abbottabad ».

BOURSE AUX ÉCHANGES

Échangeons grosse centrale nucléaire, état moyen, petites fissures sans importance, avec son stock de combustible Mox et d'ouvriers CGT + collection de photos pornos de Tchernobyl et de Fukushima, contre circonscription gagnable en cas de raz de marée de la gauche.

Échangeons maire de Paris ayant l'oreille musicale, expérimenté et roublard, livré avec un vélo et un kit mains libres + 10 tonnes de sable état neuf + photo dédicacée de Jack Lang (un peu jaunie), contre promesse de report de voix au second tour.

Échangeons appartement à loyer modéré, 120 mètres carrés, vue sur le Panthéon, occupé en viager par zombie à encéphalogramme plat, contre un retrait de candidature à l'élection présidentielle.

Échangeons Rachida Dati + lubrifiant anal « spécial diversité » + siège encore chaud à la mairie du 7ᵉ avec empreinte de fessier, contre une érection de Premier ministre inquiet pour son avenir.

Échangeons enseignante immolée par le feu (dégâts importants), livrée avec ses copies à corriger et une cellule d'aide psychologique, contre 60 000 postes d'enseignants hypothétiques (ininflammables), à pourvoir dans les prochaines années.

Échangeons dépouille empaillée de Danielle Mitterrand, très bonne facture, insecticide inclus + carte Vitale + abonnement d'un an à *Nous deux,* contre séjour d'une semaine dans un hôtel une étoile à La Havane + survêt bleu de marque Puma ayant peut-être appartenu à Fidel Castro (haut seulement).

Échangeons livre *L'Horticulture pour les nuls* + billets usagés Eurodisney (et son ticket coupe-file pour « Dumbo l'éléphant volant ») + test positif de grossesse, contre boules Quies + un petit sondage en hausse (même riquiqui, ça ira quand même).

Échangeons groupe d'indignés, avec banderoles originales faites main + mégaphone sans piles + marche silencieuse avec visages graves et look prolo + livre en espagnol *Los Tres Cerditos*, contre mur de la Paix (pas utilisé) + un nounours « Marek Halter ».

Échangeons trou de mémoire incomplet contre présomption d'innocence légèrement flétrie.

Échangeons le triple A de la France, jamais servi, contre un rouleau de PQ de marque Leader Price.

Échangeons soutien de Claude Guéant + grandiloquence de pacotille + larmes de crocodile contre locaux refaits à neuf + détecteur de fumée. [Si intéressé, écrire au journal, qui transmettra*.]

Cette Bourse aux échanges est une initiative des chambres de commerce et du think tank Terra Nova. Produisons et diffusons des solutions politiques innovantes. Investissons dans notre avenir.

---

* Texte paru après l'incendie criminel de *Charlie Hebdo*. (*N.d.É.*)

RIBÉRY VA AU VESTIAIRE

Je suis indigné. Quand je vois, çà et là, dans les tabloïds et sur Internet, mon nom associé à la prostitution, je suis révulsé. J'admets volontiers être un peu léger ; il m'arrive d'être invité à des soirées où des femmes se jettent sur moi, je fréquente aussi des fêtes VIP où l'on peut, selon l'humeur du moment, palper des 90-60-90 ou parler de la dette grecque, mais je m'érige en faux contre les affabulations. La vérité, c'est qu'être associé à des prostituées m'est insupportable. J'ai, comment dire, une sensibilité sur ces questions. La prostitution, le proxénétisme, je les ai en horreur. D'habitude — le saviez-vous ? —, les participantes à ces soirées ne sont pas des prostituées. No-no-non. C'est très simple, je n'en ai jamais vu. Et Dieu sait si j'ai fêté. Mais de *shliouchki prostitutki,* comme on les appelle dans certains endroits malfamés, de *prostituta puta,* jamais.

C'est précisément dans les soirées où je traîne qu'il y en a le moins. C'est comme ça. Ces lieux où circulent l'argent, le champagne, la drogue, les starlettes du X et les fonctionnaires internationaux hors cadre sont imperméables à la prostitution. On peut le regretter, comme le font Riri « le Morbac » ou Fifi « Tête d'ananas », mais on peut s'en réjouir, quand on est, comme moi, intransigeant sur ces questions. Les *Hündinnen Prostituierte,* comme on dit, on n'en voit jamais. L'eau et le mercure ne se mélangent pas.

Alors, si par malheur une de ces pauvres créatures se retrouve parmi nous, c'est la consternation. On est comme deux ronds de flan. La vérité, c'est qu'il n'y a aucun moyen de savoir qu'une femme est une pute-pétasse. Je voudrais bien vous y voir. On n'est pas des devins. Les *dirty sluts,* comme on dit, ne se baladent pas avec un prix imprimé sur leur front ou un code-barres à l'entrée de l'anus. Elles n'ont pas de gyrophare. Certaines masquent très bien leur jeu. Quand quelqu'un vous présente sa copine sacrément bien gaulée, vous ne lui demandez pas si c'est une prostituée, une *tíkur vændiskonur,* comme on les nomme aussi en Islande. Et quand on vous invite à une soirée, vous ne demandez pas à voir la facture. Ce serait d'un roturier ! D'où ce gigantesque malentendu qui me révolte. Retenez-le une fois pour toutes : pas de prostituées.

Et de mineure, encore moins. Au moment de l'enfiler, si je vois que la femme est mineure, je ne peux pas, tout simplement. C'est plus fort que moi. Une trompette sonne dans ma tête. Alerte, alerte ! Et la mécanique ne suit plus, forcément. Elle a beau me chauffer avec son petit cul, il n'y a plus d'appétit. J'ai sa date de naissance devant les yeux et, tout en faisant un calcul mental pour être certain, je ne vais pas plus loin. Son regard de biche en chaleur louchant vers ma virilité n'y fait rien, je reste ferme (c'est-à-dire

mou). Le Ribéry va au vestiaire. Vous imaginez!
Quelle image auraient de moi ma femme et ma
famille si je cédais? Ce serait une relation
consentie mais stupide. Alors non. Je lui
demande de se rhabiller, je rends sa culotte et sa
carte de lycéenne, je lui flatte gentiment le
derrière, et, les larmes aux yeux, je lui dis qu'elle
ferait mieux de s'intéresser à la loi de Keynes ou
à la courbe des prix en Espagne. Rappelons à ce
sujet qu'un taux d'inflation reflète l'évolution
des prix d'un ensemble standard de marchandises
et de services que les ménages achètent pour leur
consommation. Si ce pourcentage est négatif,
nous avons alors affaire à une déflation. Je n'ai
rien à ajouter; vous voyez vous-même ce qui
occupe mes pensées.

FAITES LE BIEN

Ce n'est pas moi qui le dis. Jamais je ne
vous aurais parlé de la sorte. Le prophète est ici
une entreprise privée agréée par l'État, Éco-
Emballages, la nébuleuse qui pilote le tri et le
recyclage des emballages ménagers et qui pollue
de son logo rond chaque brique de lait, chaque
bouteille de jus d'orange que l'on achète. « Faites
le bien!, clame-t-elle dans sa dernière campagne.
Faites le bien! » Comment? En aidant les

pauvres ? En combattant un super-méchant ? En découvrant le vaccin contre le cancer ?… Non. En devenant l'ami d'une poubelle. Tout simplement. Car quand je jette l'emballage de mon lait dans la poubelle jaune, je fais le bien. Rien de moins. Il suffit d'un petit geste. Et comme je ne suis pas un mec bien qu'à moitié, je ne me contente pas de la poubelle jaune, non, je jette aussi la bouteille du jus d'orange dans un conteneur pour le verre. Voilà comment je suis, moi. Et, attention les yeux, je fais ça tous les jours. Prenez-en de la graine. Je peux dégueuler sur un écolier, écraser un clodo, branler un nounours et voter FN, je reste un mec bien grâce à mes petits gestes, mon pack de lait, mon jus d'orange. J'ai reçu l'onction Éco-Emballages. J'ai fait ce que la société, cet Être Suprême, attend de moi. Il n'y a plus aucune question à se poser. Par mon comportement « responsable », je m'absous. La poubelle jaune est une hostie.

Un site consacré à l'opération, www.faitesle bien.fr, nous raconte, sur ce ton mi-crétin, mi-paternaliste qu'affectionnent les campagnes de sensibilisation, l'histoire d'un mec hyper-cool, qui « fait le bien », justement, et devient le héros de son quartier. Un papy électricien le félicite, un petit garçon et sa jolie maman lui sourient, des djeun's en skateboard le saluent comme l'un des leurs, des touristes le prennent en photo et des gens qui attendent l'autobus l'applaudissent. Sa photo s'étale à la une d'un quotidien sous le titre « Le trieur du jour ! » et une énorme affiche, « Bravo Cédric ! Comme lui, faites le bien », souligne le triomphe de notre héros du quotidien devenu star, à la manière des stakhanovistes des usines soviétiques des années 1930, dont les visages ornaient tableaux d'honneur et pages de la *Pravda*.

« Cédric est toujours en retard, il ne rebouche jamais le tube de dentifrice, ne range pas ses affaires, mais ça, il le fait bien... » Ouf, on a eu chaud, le plus important, la poubelle jaune, le bac pour le verre, il le fait bien, Cédric, cette tête de pioche. La société peut compter sur lui, malgré son faible quotient intellectuel. Il a un fort quotient sociétal, et c'est cela qui compte de nos jours. Finalement, c'est vrai qu'on s'en fout, de son dentifrice. Il peut l'étaler partout dans son appartement, en donner à bouffer à son chien et vider le reste du tube dans la serrure de sa voisine de palier (n'y voyez aucune allusion sexuelle), tout cela est sans importance. Il trie, et c'est largement suffisant pour justifier son existence terrestre. Dans sa vie, il a sans doute cliqué plus d'une fois sur le lien Éco-Emballages — « Tout savoir sur les déchets pour réaliser un sans-faute dans vos gestes quotidiens ». Chanceux et travailleur, il est devenu « incollable sur les déchets ». Il fait le bien et il le fait bien — veuillez noter le double sens, ô combien zuptil, dans le slogan concocté par l'agence de pub Akoa.

Rappelons qu'Éco-Emballages & Sons Ltd avait placé en 2008 une partie de l'argent de ses adhérents dans des produits boursiers toxiques, aujourd'hui envolés, recyclés dans le néant, pourrait-on dire. Une information judiciaire est toujours ouverte par le parquet de Nanterre.

J'AI PEUR DU NOIR

Bienvenue en 2012 : par décret, le ministère de l'Écologie a ordonné l'extinction des enseignes lumineuses, partout en France, de 1 heure à 6 heures du matin, à compter du 1er juillet.

Oui, je sais, les économies d'énergie, tout le fatras des raisons raisonnables, mais tout de même, c'est un peu fort comme mesure, non, alors que l'on pourrait commencer par éteindre plus tôt les bureaux des collectivités territoriales… NON. PAR DÉCRET, LA BONNE CONSCIENCE ORDONNE L'EXTINCTION DES ENSEIGNES LUMINEUSES.

D'accord, je vois le problème, on n'a plus d'argent mais on a des idées, simplement je voudrais comprendre… Cette électricité qui nourrit l'enseigne lumineuse, ce sont les commerçants qui la paient de leur poche, non ? Ils sont clients d'EDF. Au même titre que les particuliers, ils ont le droit de décider eux-mêmes ce qu'ils font avec leur électricité achetée. Ce sont de grands garçons, de grandes filles (la preuve, ils ont un commerce). Ils peuvent se chauffer une tisane ou laisser une enseigne allumée. Surtout si c'est une croix de pharmacie. Ça peut être utile, une croix de pharmacie allumée en pleine nuit, quand on a un besoin urgent. Ou une enseigne d'hôtel, de bistrot, de station-service… NON. PAR DÉCRET, LA BONNE CONSCIENCE ORDONNE L'EXTINCTION DES ENSEIGNES LUMINEUSES.

Si c'est vraiment une question d'économies d'énergie, je suis perplexe. La plupart des enseignes utilisent des néons ou des ampoules très basse consommation (le commerçant n'est pas fou). Faites le calcul, une enseigne de 60 W qui reste allumée pendant cinq heures consomme trois fois moins qu'une séance d'« On n'est pas couché » sur une télé plasma Samsung. Et je ne dis rien de toutes les télés qui restent en mode veille et qui sucent, sucent, sucent. Sans parler des systèmes d'alarme, des chauffages d'appoint, des portables qui se rechargent… NON. PAR DÉCRET, LA BONNE CONSCIENCE ORDONNE L'EXTINCTION DES ENSEIGNES LUMINEUSES.

Je vois, on est dans une logique implacable. La nuit, c'est fait pour dormir. Tous les braves gens dorment. Je mets mon chose au feu que NKM dort comme une souche. Elle a fait Polytechnique. Elle sait qu'après la nuit vient le jour. Il n'y a que les voleurs et les branleurs pour se balader dans les rues, passé 1 heure du matin. La généralisation de l'extinction de l'éclairage autoroutier procède de la même logique. Vous n'avez qu'à rester à la maison ! Fini, le « Paris, ville des lumières ». Retour à la case Occupation. Il n'y a que pendant les guerres que l'on force les gens à éteindre chez eux. Mérite-t-on le couvre-feu ? OUI. PAR DÉCRET, LA BONNE CONSCIENCE ORDONNE L'EXTINCTION DES ENSEIGNES LUMINEUSES.

Et si je produis moi-même mon électricité grâce à un ingénieux système de panneaux, comparable aux lampes solaires de jardin ? Ainsi, je stocke dans la journée ce que je consomme la nuit, sans me brancher sur le réseau. Et si j'utilise en plus un détecteur de mouvement ? Ma vitrine, mon enseigne ne s'allument qu'au cas où un voleur ou un branleur passe à proximité, et restent sagement éteintes le reste du temps... NON. PAR DÉCRET, LA BONNE CONSCIENCE ORDONNE L'EXTINCTION DES ENSEIGNES LUMINEUSES.

Résultat, l'enseigne lumineuse sera allumée pendant la journée, et éteinte la nuit. Pire que la hausse du chômage, pire que DSK en furoncle chinois nous expliquant la détestable économie qu'il a lui-même forgée, et bien plus terrible que des élections où l'on aura le choix (si Dieu est aimable) entre un lapin crétin et un ouistiti alpha se prenant pour Marcus Fenix, Nathalie Kosciusko-Morizet a confirmé la plongée inéluctable du pays dans le noir. Bienvenue en 2012, je disais.

ÉLYSÉE 2012 :
HOLLANDE ET LES JEUNES

Que tu sois en maternelle, grande section ou déjà au CP, tu peux, toi aussi, rejoindre François Hollande et son rodéo magique pour partir sur les chapeaux de roue vers l'Élysée et la course aux étoiles !

Comment faire ?... C'est très simple. Tu n'as pas encore l'âge de voter, mais avec des pinceaux, de la colle et des ciseaux, tu peux fabriquer un tas de cadeaux sympas à distribuer partout, à tes amis, à tes parents, aux grands amis de tes parents, à l'école... C'est très amusant ! Et si tu n'as pas de pinceau, utilise les doigts ! Tu feras passer ton message de soutien tout en douceur. Écoute bien :

Tu aimes ta maman ? Alors, fais-lui un joli coloriage avec des cœurs et un joli dessin. Sais-tu dessiner une maison ? un lapin ? un soleil ? C'est formidable ! Pour dessiner François Hollande, commence par faire un soleil. Les propositions de François Hollande sont généreuses, humaines, tournées vers l'avenir. Nul doute qu'elles seront efficaces ! Je t'aime, maman chérie.

Tu aimes la mode ? Tu es une vraie fashionista ?... C'est super ! Appelle ta poupée « Valérie » et déroule le tapis rouge. Fabrique des mèches avec des ficelles et change sa coiffure. Un petit coup de feutre, et hop ! elle devient une princesse ! Dessine-lui des accessoires de journaliste : un cartable, des lunettes, une oreillette. Ne la dérangez pas, Valérie travaille ! Et quand t'en as marre de son air trop sérieux, fabrique-lui une voiture toute rose. Regarde : elle peut maintenant partir en vacances. Car avec François Hollande la situation va s'améliorer en 2012.

Tu aimes ton papa ? Bien sûr ! Mais sais-tu que papa a une fête, lui aussi ? La Fête des pères ou des papas est une fête annuelle célébrée en l'honneur des pères ou des papas dans de nombreux pays. Elle se fête le 21 juin. Cette année, à partir du 6 mai, tu auras un nouveau papa. Quelle chance tu auras ! Tu pourras faire de beaux coloriages pour ton nouveau papa. Télécharge-les sur hollandeaveclesjeunes.fr pour les offrir à toute ta famille. Tu les décores comme tu veux avec des carrés, des ronds ou des triangles. Tu crois que les cœurs sont seulement pour les mamans, non, non et non, pour les papas aussi tu peux faire des coloriages de cœurs. Ton nouveau papa aime les cœurs. Bonne fête, papa chéri, je t'aime très fort !

Au secours ! Au secours ! Le grand méchant Sarko-caca menace la planète des gentils dinosaures. Pan ! Pan ! Attaque-le avec le mode tornade, le bras lance-missiles ou le marteau piqueur. François Hollande a mis la jeunesse au cœur de sa candidature. Il est colossus. Avec lui, tu pourras commencer ta collection de hamsters samouraïs. Appuie sur son dos, il va dans tous les sens et fait plein de bruits rigolos. Quand on verse de l'eau sur sa tête, on voit une multitude d'animations magiques se mettre en route. Il se fixe par ventouses. François Hollande rassemble et apaise, il a un cap clair et il est bien entouré. Youpi !

À la télé, tu as vu Martine, Arnaud, Ségolène, Manuel, et tu n'es pas rassuré ? Oulàlàlàlà, ne t'inquiète pas, ce sont de gentils pirates, parfois ils font mine d'être méchants, mais en fait ils sont dans le même BakuTriad que François Hollande, ils ont un très joli bateau de pirates pour aller à la chasse au trésor. Allez, on va les aider !

Pour profiter de toutes ces surprises et de millions d'autres, inscris-toi vite aux JFH (les Jeunes avec François Hollande) sur hollandeaveclesjeunes.fr et tu recevras un calendrier de l'avent François Hollande, un véhicule de combat coincoin et une maxi-maison féerique Valérie jolie. À toi de jouer, moussaillon !

CIRCULAIRE GUÉANT
ASSOUPLISSEMENTS

« Eu égard aux objectifs d'attractivité de notre pays de cocagne, afin que les entreprises puissent se servir des compétences des bougnoules, si d'aventure lesdits bougnoules ont acquis un niveau d'excellence suffisamment monnayable pour être essorés dans nos étincelantes corporations, nous souhaitons assouplir les conditions de séjour sur notre bienheureux territoire où il fait bon vivre sans craindre le chômage, la précarité, le racisme et le gonocoque.

Soyons clairs, tout le monde comprend bien qu'il y a un certain nombre de cas de figure dans lesquels ces diplômés bougnoules nous sont extrêmement utiles. Le pays de cocagne a une pénurie d'ingénieurs — allez savoir pourquoi, quand on connaît le niveau prodigieusement brillant de nos grandes, très grandes écoles. Dans ces conditions, si les ingénieurs bougnoules veulent travailler chez nous, nous en serions très satisfaits, à condition que leurs cotisations sociales de bougnoules salariés et leur TVA restent au pays de cocagne et n'aillent surtout pas s'expatrier au Boukakland, et encore moins en Suisse ou dans d'autres pays ennemis, via les réseaux Western Union, MoneyGram ou équivalent, afin de nourrir des villages entiers de familles indigentes.

Les diplômés bougnoules de nationalité américaine, canadienne, australienne et des autres pays notés par Standard & Poor's au moins aussi bien que le pays de cocagne devront s'acquitter d'une taxe proportionnelle à leur niveau d'études et au PIB de leur pays d'origine (avec un minimum de 385 euros), et ce en vertu du principe de primauté de notre civilisation. N'oublions pas que le pays de cocagne est aussi le pays des droits de l'Homme. Le bougnoule est fier d'y séjourner. Plus tard, en rentrant chez lui, il pourra toute sa vie se nourrir de son incroyable bonne étoile qui l'aura amené à fouler le même sol que Zadig & Voltaire. Ainsi progresse l'idéal des Lumières.

Il est recommandé de considérer le boukak candidat à un titre de séjour d'un œil bienveillant où perce une lueur bonne et protectrice, sans pour autant oublier qu'il serait bien plus utile dans son pauvre pays miséreux. Pour l'encourager dans le sens du retour aux racines, il pourra être intéressant de le noyer sous la paperasserie administrative pour qu'il oublie de remplir à temps le récépissé de renouvellement. Veuillez toutefois y mettre les formes pour éviter les procès en sorcellerie.

Comprenez notre démarche. Si le bougnoule Mark Zuckerberg venait au pays de cocagne pour se faire un peu d'argent de poche en livrant des pizzas tout en voulant profiter de notre système avantageux de retraite, il convient de ne pas renouveler son autorisation provisoire de séjour car nous avons suffisamment de livreurs de pizzas en attente d'emploi sans avoir besoin de main-d'œuvre bougnoule.

La présente circulaire s'applique aussi aux couples de pandas, ou à tout autre animal exotique soumettant une demande pour travailler au Zoo-Parc, et venant dans le cadre d'un échange de compétences avec les zoos du monde entier. Le préfet doit vérifier que la situation de l'emploi justifie le recours à un animal bougnoule. S'il existe un moyen quelconque de former un animal français demandeur d'emploi, par exemple un coq, à l'offre de travail présentée, et de remplacer ainsi la girafe congolaise ou le perroquet brésilien, il faut s'abstenir de donner suite à la sollicitation.

En conclusion, il convient également de rappeler que les étudiants bougnoules, quelles que soient leurs compétences, sont avant tout des bougnoules et ont, à ce titre, vocation à regagner Boukakland pour y faire rayonner nos principes civilisateurs. »

QUÊTE PUBLIQUE

Bonjour, messieurs dames, excusez-moi du dérangement pendant votre transport, je m'appelle France, j'ai 66 millions d'enfants de la patrie

que je n'arrive pas à nourrir pour cause de suren-
dettement, et si je passe aujourd'hui parmi vous,
ce n'est pas par plaisir, croyez-moi, mais parce que
j'ai besoin de travailler et de rester propre.

Il y a un mois, j'ai perdu mon pucelage anal.
Une agence de notation m'a perforé le triple A :
d'abord, ça a saigné un peu et j'ai eu mal quand
j'allais à la selle, mais ça va mieux maintenant que
j'y ai mis un peu de Baroin. Je chie des emprunts
comme avant. Les marchés prétendent que je suis
toujours désirable, même si mes hémorroïdes sont
mises en perspective négative, et ça me console. Je
pourrai toujours aller sur le trottoir. Mon potentiel de *mother I'd like to fuck* n'est pas entamé : le
Qatar est venu exprès pour mes atours et j'ai failli
me faire Beckham. Tout ça pour vous dire que je
ne me complais pas dans la misère, je compte me
ressaisir et trouver du travail.

Un ou deux billets de mille ne vont pas
vous priver de beaucoup, et si tout le monde
faisait ce petit geste solidaire, je pourrais conti-
nuer mon train de vie, fait de ronds-points
fleuris à bâtir par milliers, de dos-d'âne, de bites
aux trottoirs, de services publics fermés dès
17 heures (16 h 30 les vendredis), de petits-fours
ministériels, de parcours de motocross pour les
jeunes du Cantal, de musées de la Tauromachie,
de « cellules psychologiques », de sous-marins
nucléaires d'attaque, d'ambassades en Suisse, de
ministères de la Francophonie et des Sports,
bref, de toutes ces splendeurs que construisent

les pays à la pointe de la civilisation. Ne dites pas « dépenses inutiles », dites « relance keynésienne de la demande », ça change tout. Avec votre argent, je poursuivrai ces magnifiques campagnes de sensibilisation contre l'obésité, la cigarette, la carie dentaire, les crottes de nez sur le trottoir, les postillons, les morpions au cul et les tampons hygiéniques dans les WC. Une petite hausse de TVA suffirait pour mettre plus de police pour surveiller la police et de police pour surveiller la police qui surveille la police. Rêvons un peu : si l'on double le nombre des conseillères d'orientation dans les collèges, on pourra préremplir les dossiers Pôle emploi dès avant le lycée. Gagner en efficacité : pour que le chômage des jeunes ne soit pas un choix mais une fatalité.

Je n'ai pas eu une vie facile ces cinq dernières années. Les occasions de faire la fête n'ont pas été nombreuses. Certes, il y a eu Guy Môquet, Aimé Césaire, Jeanne d'Arc, l'année du Mexique, le 100 000e expulsé : ce furent de belles célébrations. Mais avec un ou deux Tickets-restaurant et votre bon cœur, messieurs dames, on pourrait organiser de nouvelles festivités : le Jour du salarié inconnu, la Semaine de la bonne conscience, le Lundi du nombril, ce ne sont pas les occasions qui manquent. Plus vous donnez, plus on célébrera. Le Jour du pigeon, lui, sera quotidien. Donnez, messieurs dames, donnez. En échange, bande de veinards, vous pourrez admirer deux pandas géants que l'on a fait venir exprès de Chine, avec votre argent, pour vous divertir.

Et maintenant, je vais vous chanter une chanson de mon pays.

ARGUMENTAIRE COMMERCIAL ANTI-FREE

À utiliser par les vendeurs d'un opérateur quand un client appelle pour demander sa résiliation.

1. Tout d'abord, madame, monsieur, veuillez vous identifier. Pouvez-vous nous donner votre code PIN ? Le numéro PUK ? Un code secret ? Quel est votre sexe ? Répétez, en appuyant simultanément sur la touche dièse et mi bécarre... Désolé, je n'arrive pas à vous identifier. Décidément, vous n'êtes pas doué. [Prévoir une dizaine de minutes, à décompter du forfait.]

2. Bon, alors je me présente à mon tour, je m'appelle Martine. [Prendre un prénom bien de chez nous, un peu rétro, ça rassure ; si votre accent marocain ou roumain est très fort, dites que la ligne grésille.] Que puis-je faire pour vous ? Dois-je comprendre que vous n'êtes pas satisfait du prix très avantageux de votre forfait Youpi à 39,99 euros, avec une heure d'appel gratuit vers trois numéros Youpi de votre choix,

soir et week-end, à partir de 19 heures, avec un engagement de vingt-quatre mois, tout en faisant des économies chaque mois ? [Veuillez répéter les conditions de l'offre en entier, ça décompte du forfait et on teste le subliminal.]

3. [Prendre une voix chaude, compatissante.] Ah, je suis tout à fait d'accord avec vous [Marquer une pause : le client, surpris, doit prendre le temps de digérer] et c'est pour vous récompenser de votre fidélité que votre opérateur historique a décidé de vous basculer de votre forfait Youpi [Répéter l'offre] au forfait Tout Schuss, à 24,99 euros, d'un coup de baguette magique. Vous voilà rassuré ?

4. Puisque vous le prenez ainsi, je me trouve obligée de vous rappeler que chez le nouvel entrant [Évitez de dire « Free », pour ne pas légitimer] le service suivi de clientèle n'est pas top du top, car ils ont très peu de boutiques. Vous connaissez nos boutiques ? [Faire parler le client.] Côté conseil, chez le nouvel entrant, ce sont les vaches maigres, contrairement à nous, comme vous le voyez vous-même en ce moment, car qui peut vous expliquer la différence entre le forfait Tout Schuss, que vous connaissez déjà, et le forfait Kiwi ? [Laisser le client face au doute.] Voulez-vous que je vous parle du forfait Kiwi ?

5. Ne criez pas. Votre appel est enregistré pour nous aider à mieux vous servir. Gardez votre

calme, respirez, soufflez. Je suis moi aussi une personne vivante. Ensemble, nous trouverons la solution. [Positiver l'expérience.] Je sais que ce n'est pas une décision facile que vous devez prendre. Les médias vous ont monté le bourrichon. Ce n'est rien. Imaginez la pression que nous, les salariés des centres d'appels, subissons depuis le 10 janvier. Si nous perdons trop de clients, il y aura de la casse sociale, des délocalisations. Vous avez entendu parler des suicides chez France Télécom ? Ne soyez pas étonné si demain il y a des immolations. En vous regardant dans le miroir, vous saurez qui a lancé l'allumette. [Prendre une voix grave, tout en restant professionnel.] Cela dit, mon destin personnel ne doit pas vous influencer.

6. Puisque vous n'avez toujours pas raccroché, laissez-moi vous parler de l'intérêt général : le *low cost* ne crée pas de richesse. Je n'invente rien ; je cite Ghislaine Coinaud, de la CGT-FAPT [Fédération des activités postales et de télécommunication — déchiffrer ce sigle lentement, pour que le client sente le poids de l'Histoire]. Car qui dit « *low cost* » dit « prix bas », donc moins de TVA, donc moins de recettes pour l'État, voyez dans quelle spirale on a mis les pieds. Il faut se battre pour le *high cost*, si vous avez un minimum de déontologie sociale. Et maintenant, je vous laisse en tête à tête avec votre conscience et je vous bip, bip, bip.

VOUS AVEZ CHAUD

Regardez bien cet article. Lisez son titre. Vous avez chaud. Encore une fois : vous avez chaud. Vraiment chaud. Plus vous le fixez, plus vous le sentez. Cette tiédeur apaisante. Approchez votre pupille. VOUS AVEZ CHAUD. Ça monte à partir du ventre (ou d'autre chose). On dirait que vous avez bu. Des vagues de chaleur puissantes. Tenez, il y en a une qui arrive. Et une autre. Ça rayonne dans vos bras. Vos joues deviennent enfin roses. Que vous êtes beau (belle) ! Vous êtes à croquer. On vous donne déjà dix ans de moins. C'est parce que vous ne grelottez plus. Vous gonflez la poitrine (ou autre chose). Vous ne toussez pas. Vous n'avez plus mal à la gorge. Vos implants se tendent. Votre température est stable, à 37 °C — c'est la norme européenne. Vous êtes heureux d'être dans la norme. Qu'il vente ou qu'il neige, vous êtes normal, vous, comme notre futur président.

La température extérieure ne doit pas influencer votre moral. (Il est en béton.) Vous avez chaud, plus chaud qu'en été. On dirait que vous êtes en vacances. Dehors, par la fenêtre, ce n'est pas la Picardie par − 3 °C, mais Cuba et ses plages hospitalières, ses filles avenantes. C'est ce qu'on appelle la « température ressentie » — une autre méthode tout aussi scientifique pour mesurer la température que le bon vieux mercure. En ce moment *(¡Qué calor!)*, vous ressentez une température bien plus élevée qu'elle ne l'est en réalité. Vous ressentez tellement fort que vous narguez le thermomètre : casse-toi, pov'con, avec tes degrés qui ne veulent rien dire ! D'ailleurs (le saviez-vous ?), un thermomètre n'est (ni plus ni moins) qu'une agence de notation miniature. Pensez-y. On ne va pas se mettre à subir son diktat, hein, les gars ? La seule donnée objective est cette chaleur qui vous transporte.

Votre radiateur est éteint. (Vérifiez, SVP, que c'est bien le cas.) Au diable le chauffage, quand on a chaud à ce point ! Imaginez les économies que vous êtes en train de faire. Et la bonne nouvelle ne s'arrête pas là. Car vous n'êtes pas seul, petit égoïste ! Au même moment, tous ceux qui lisent cet article ressentent la même béatitude. Par-delà les clivages et les opinions politiques, il y a une communion de chaleur. Des économies, partout, comme des ruisseaux convergents. Cette idée fait soleil à votre cœur, n'est-il pas ? Vous n'êtes plus un rouage, vous êtes source d'énergie. Dites-le à voix haute : « Je ne suis plus un rouage, je suis source d'énergie. »

Redressez-vous. Vous êtes fier. Allumez la radio. Dites-vous que, comme pour la température, la connerie que vous entendez est une connerie ressentie qui ne correspond pas à la connerie réelle. Celle-ci est bien plus faible que ce que vous imaginez. Ne discutez pas, c'est scientifique. Les élections approchant, la connerie est au-dessus de sa moyenne saisonnière, ce n'est pas difficile à comprendre. Après quelques records, elle reviendra dans la norme. Ne vous braquez pas, soyez tolérant. Tout ira bien, vous verrez. Il n'y aura ni bonne ni mauvaise surprise.

Ça va mieux. Vous irez voter. Vous êtes convaincu de votre utilité sociale. Vous êtes épatant.

C'était un message du ministère de la Santé, diffusé dans le cadre de la prévention du suicide dans l'entre-deux tours de l'élection présidentielle.

LE COUP DE LA PORTE

Dans le domaine des économies d'énergie, le bon sens *made in NKM* a encore de beaux jours devant lui, hélas. Après les enseignes lumineuses, que l'on forcera au silence entre 1 heure et 6 heures du matin, on est heureux d'apprendre que la bonne conscience touchera aussi les réfrigérateurs. Les rayons frais dans les grandes surfaces seront mis en quarantaine par des portes, comme c'est déjà le cas des rayons congélation. « Cette mesure permettra d'économiser 2,2 térawatts-heure (TWh) chaque année, soit 20 % de la consommation des magasins. À l'échelle nationale, cela correspond à la consommation annuelle d'une ville de

500 000 habitants. » Bigre. Ça semble facile et ça donne le tournis.

Léger inconvénient : pour prendre son yaourt, son beurre, son jambon, il faudra ouvrir et fermer, ouvrir et fermer, ouvrir et fermer. Bien. Ce n'est pas une contrainte énorme, dira-t-on en chœur avec NKM, si c'est pour la bonne cause. Néanmoins, pour un chariot du samedi, pour peu que vous ayez des enfants et des envies gustatives diversifiées, il vous faudra faire la gymnastique une trentaine de fois, au bas mot. Un conseil, si vous avez plus de 70 ans ou si vous avez du mal à lever les bras, prenez l'habitude de faire vos courses sur Internet : vous vous éviterez bien des déceptions. À moins que l'on ait là un gisement d'emplois pour nos jeunes. Après l'homme-sandwich, voici le jeune-frigo, préposé à l'accompagnement d'un vieux au supermarché. Solidarité intergénérationnelle, pied à l'étrier pour le jeune, emplois de proximité non délocalisables : on gagne sur tous les tableaux. L'avenir est radieux.

Ouvrez et fermez. Aux heures de pointe, prévoyez une belle pagaille dans les rayons, toutes ces portes qui claquent. Il faudra aussi apprendre à patienter : que vous le vouliez ou non, une porte, ça ralentit toujours, c'est même l'essence de sa philosophie de porte, pourrait-on dire (si on a lu Michel Onfray). À moins de la garder ouverte en permanence.

Question : pourquoi l'incroyable innovation n'est-elle pas déjà en place ? La grande distribution, cette acné qui a défiguré la France au nom du pragmatisme supposé des consommateurs, n'aurait dû avoir aucun scrupule à visser des millions de portes sur ses frigos pour diminuer la facture. Elle, qui calcule la position optimale de chaque paquet de céréales, de chaque rouleau de PQ... Je suppose qu'elle a gambergé au problème bien avant que sainte NKM n'ait ses premiers écoulements écolos... C'est que la porte aurait un coût. Pour fabriquer une stupide porte, vitrée de préférence — c'est plus pratique pour voir les produits —, il faut des matières premières, de l'énergie, de la main-d'œuvre, etc. D'où un coût de porte que la grande distribution n'est pas prête à payer. On en déduit que le concept n'est pas rentable. Et comme on sait que tout ce qui est obligatoire mais non rentable finit par être fourré de force dans la facture et le cul du consommateur, préparons-nous à jouir. Telle sera notre bienheureuse destinée, à nous qui sommes en bas de la chaîne alimentaire.

Observé à l'échelle nationale, le processus sera un excellent exemple de la transformation de l'énergie mécanique musculaire en bonne conscience ministérielle, au prix d'une diminution de pouvoir d'achat. Allez, on tient le bon bout.

LES PEOPLE S'ENGAGENT

Coucou à toi, fan des people ! L'actu des stars, les news crousti, tu aimes ça ? Énoooorme ! Avec la campagne électorale, tu ne t'es pas trompé d'endroit. Tu vas retrouver toutes tes vedettes préférées, celles qui grouillent chaque semaine dans *Voici* et *Gala* comme des vers intestinaux, et tous les potins, les kisuceki, les kifumekoi, ça va être trop waouh ! On a attendu cinq ans, on s'est impatienté, on a douté, mais le grand moment a fini par arriver ! Aussi inévitable que les Jeux olympiques, les impôts et la mort [© Michael Jackson], la tournée de solidarité avec les présidentiables — le Big Lèche Tour — a commencé.

Au stand Hollande, c'est la bousculade. Tout le gratin veut monter sur le manège enchanté. Une occasion pareille ! On est tellement sûr de gagner que ce serait dommage de ne pas en profiter. Certes, les plus belles cabines sont déjà réservées — Benjamin Biolay, Yannick Noah. Mais en se dépêchant, on peut espérer avoir un strapontin, quelque part entre BHL et Julie Gayet, ainsi qu'un nonos de récompense : une invitation pour le concert géant qui ne manquera pas de se produire le 6 mai au soir, à la Bastille, et la possibilité de dire à ses petits-enfants : « J'y étais. » Un conseil pour les people qui liraient cet article : le grand soir venu, ne restez pas trop longtemps devant les caméras, vous n'êtes pas seul. Une fois qu'on vous a éjaculé dessus, soyez modeste et laissez la place au people suivant.

Attends, attends, ne te moque pas, ce sont leurs convictions qui parlent. Mieux que ça, elles jouissent, leurs convictions, elles explosent ! Leur trop d'amour finit par barbouiller l'Univers. Le beau, le ténébreux Denis Podalydès nous coule ceci, à faire pâlir les plus grands maîtres du dithyrambe totalitaire : « [François Hollande] perçoit justement, sans aucun abus rhétorique ou médiatique, la crise et son ampleur, l'endettement, la mondialisation, la nécessité d'une mutation sociale du capitalisme, la refonte et la revalorisation du service public. » Josiane Balasko s'enflamme : « Un homme honnête, ce n'est pas si courant. » Si ce n'est pas mimi, ça ?

À droite, en revanche, c'est la longue soirée d'hiver. La mer est d'huile. Est-ce de la sérénité ou de la sénilité ? Enrico Macias, le grand soutien de 2007, a déclaré qu'il sentait son pacemaker battre à gauche de nouveau. Mireille Mathieu, notre grand-mère à tous, qui vient d'inaugurer en beauté le Festival international de musiques militaires, à Moscou, sur la place Rouge, fait le mort [© Michael Jackson]. Silence radio chez Bigard, Sardou, Johnny. Ça sent le cadavre. Heureusement, pour masquer l'odeur, il reste Carla. Elle déborde, et ça vaut toutes les Balasko du monde. Sur les états d'âme de Sarko, elle balaie : « Je peux vous dire que je me lève tous les matins et me couche tous les soirs avec lui et qu'il y a peu de gens qui ont aussi peu de doutes. » Sur les cinq années de présidence : « Je ne m'y connais pas tellement mais, franchement, je trouve qu'il a tout bien fait. » Ça me met la larme à l'œil rien qu'à l'écrire.

Alors, c'est qui le grand gagnant ? C'est toi, le fan des people ! C'est aujourd'hui, c'est maintenant, c'est la campagne. Allez, profite. Plus que deux mois.

MADEMOISELLE

Dans le cadre de la fête de la femme du 8 mars qui vient, compte tenu de l'engouement qu'a suscité la circulaire du Premier ministre destinée à mettre fin à une forme de discrimination entre les femmes et les hommes en supprimant le terme « mademoiselle » des formulaires administratifs, il nous paraît utile de pousser plus avant cette démarche visionnaire. Les étapes subséquentes seront au nombre de cinq et donneront lieu à une campagne de sensibilisation des usagers vis-à-vis de ces nouvelles normes comportementales.

ÉTAPE 1. Les cases « monsieur » et « madame » induisant d'entrée de jeu une possible discrimination basée sur la nature sexuée de l'usager, elles seront remplacées par une case unique « hominidé ». En cas de doute, suivant le principe de précaution, on pourra laisser cette case vide.

ÉTAPE 2. Le terme « hominidé » se construisant à partir du substantif latin *homo* — « homme » —, il pourrait donner lieu à une connotation phallocratique. On remplacera donc dans un deuxième temps les cases « hominidé » par « singe », ce dernier terme étant particulièrement heureux car désignant aussi bien les individus mâles que femelles. Ce faisant, dans notre lutte contre les préjugés, nous aurons également fait progresser la cause animale.

ÉTAPE 3. Les couleurs bleu et rose étant connotées par l'usage consistant à attribuer le bleu aux garçons et le rose aux filles, on remplacera sur les formulaires ces deux teintes discriminantes par le gris ou le kaki uniforme. La phrase suivante, extraite d'un dossier administratif, montre tout le chemin qu'il nous reste à faire : « Dans un délai de quatorze semaines, vous devez déclarer votre grossesse à votre CPAM au moyen du formulaire rose fourni par votre médecin. » Il n'y a plus une seconde à perdre.

ÉTAPE 4. Afin de transmettre le respect de la parité à nos enfants dès l'école, les titres des œuvres de l'esprit comportant le terme connoté « mademoiselle » devront être corrigés. En particulier, on prendra soin de remplacer *Mademoiselle Fifi* (Guy de Maupassant) par *Madame Fifi* ou, mieux, *Hominidé Fifi*. Nous effectuerons la même mise à niveau avec les chansons *Mademoiselle Chang* (Michel Berger) ou *Mademoiselle chante le blues* (Patricia Kaas). Veuillez noter cependant que l'on effectuera ces changements avec un certain doigté ; dans le cas de Michel Berger, *Hominidé Chang* ou *Singe Chang*, bien que répondant à l'esprit de cette circulaire, pourraient induire une connotation raciste envers nos citoyens de couleur jaune.

Étape 5. La parité ne doit pas être qu'un vague symbole. Dans le but de l'ancrer dans la réalité des Français, il est préconisé qu'une femme soit obligatoirement présente au second tour de l'élection présidentielle. À cette fin, le candidat de sexe masculin arrivé en deuxième position au premier tour se retirera de la compétition en faveur de la candidate la mieux placée — Marine Le Pen, sans doute. Attention, cette démarche n'est en aucun cas comparable à une forme de galanterie, désuète et machiste, comme quand on laisse passer une femme dans l'ascenseur. Compte tenu des contraintes du calendrier, l'étape 5 pourra être appliquée dès le mois d'avril, devenant l'étape 0 de la nouvelle attitude.

Vous voudrez bien, en conséquence, donner instruction aux services placés sous votre autorité.

SPÉCIAL BOUT D'CHOU

— Papa, papa, tu m'achètes ce canard en plastique qui est en vitrine du magasin ?

— Méfie-toi, mon trésor, ce n'est pas un vrai canard en plastique. On dirait que c'est un joujou, tu as raison, on dirait un véritable petit canard comme tu en as dans ta salle de bains, il a des couleurs comme un canard, il est en plastique comme un canard, et il a les mêmes dimensions, mais il est là pour de grandes personnes, en vérité je te le dis. Ouh ! lala ! Je lis la curiosité dans ton regard innocent. Et c'est mon rôle de père que de t'expliquer les concepts compliqués, sans tabou ni pudibonderie déplacée, comme on le fait sur le site CLER Amour et Famille, « association reconnue d'utilité publique, [qui] œuvre pour l'épanouissement affectif et familial de toute personne, jeune ou adulte, en couple ou non », de sensibilité chrétienne de préférence.

Quand tu seras grand, tu verras qu'il existe de drôles de jeux que pratiquent les adultes consentants de plus de 18 ans, le permis de conduire faisant foi. Tu ne devineras jamais ce qu'ils font avec ce gentil canard... Non, ils ne l'attrapent pas avec des cannes à pêche. Non, ils ne lui font pas faire la ronde des animaux, avec Hugo le panda et Titine le koala. Tu donnes ta langue au chaton ?... Ils le mettent dans la foufoune, qui est une sorte de caverne qu'ont les filles, comme un trou dans le nez, mais plus grand, parfois. Toi, tu ne mettrais pas un canard dans ta narine, hein ? Et tu fais bien, mon trésor ! Eh bien, ces drôles de personnes y arrivent, figure-toi, mais rarement le canard en entier, tout de même. Elles ne sont pas malignes, ou trop malignes, plutôt.

Le petit animal a très peur, mais elles s'en fichent — elles gémissent. S'il pouvait parler, il leur dirait que leur manège est sale (même si, en bon chrétien, il ne juge pas). Il se contente de dodeliner de la tête (« dodeliner » est un mot compliqué qui veut dire vibrer, branler, masturber — tous des verbes du premier groupe avec terminaison en -er). Comme tu as raison de prendre cet air dégoûté ! Le petit canard gigote, il veut s'enfuir — c'est pour cela qu'il a des piles. Tu as remarqué qu'il n'a pas de pattes, c'est exprès. Pendant qu'il se tortille, les grandes personnes se frottent le bonbon, seules ou à plusieurs, quitte à fragiliser le lien pastoral et à oublier leur implication dans les différents secteurs de leur vie familiale, professionnelle, sociétale. Non, le « bonbon » n'est pas un Haribo Fruikipik, ni une Pie qui chante — c'est comme un très petit chamallow. Est-ce une raison suffisante pour le malaxer avec un canard ? Sois conscient des enjeux, mon trésor. Le texte *Persona humana* qui traite des canards en plastique et qui fut publié par le pape Jean-Paul II ne parle pas de péché mais de désordre grave. Moi, mon rôle est d'informer, d'éveiller, de donner des repères et de permettre la réflexion.

Des enfants comme toi ne devraient pas regarder ce genre d'objets obscènes. Je te conseille plutôt de porter tes regards assoiffés de connaissance de l'autre côté de la rue, vers l'église Saint-Merri, que l'on surnomme Notre-Dame la petite — sans doute parce qu'elle a une foufoune plus prude, plus délicate que sa grande sœur. Son clocher turgescent, de forme phallique, porte la plus vieille cloche de Paris.

LA JOURNÉE DU TRISO

— Attends, tu ne vas pas appeler ton texte comme ça, « La journée du triso », tu te rends compte ?

— Qu'est-ce qui te choque ? Nous sommes un 21 mars, c'est la Journée mondiale de la trisomie 21, décrétée en grande pompe par l'ONU pour la première fois cette année. N'es-tu pas content de la célébrer, toi aussi, en lieu et place du printemps ? Allons, ne sois pas mauvais joueur, toi qui viens de fêter la Journée de la femme, ne penses-tu pas que ces pauvres gens ont le droit, eux aussi, à une journée rien que pour eux ? Après tout, la vie d'un triso est sans doute plus pénible que celle d'une femme, et, même si certaines féministes ne seront pas d'accord avec ce postulat, je doute que beaucoup d'entre elles échangeraient leur piteuse existence contre celle d'un malade.

Qu'est-ce qui te choque ? Ai-je dit une énormité ? N'as-tu point vu les affiches autour du périphérique et ailleurs, la grande campagne de sensibilisation à la trisomie, avec de beaux enfants déformés ? Le slogan « Trisomique, et alors ? » placardé partout, dont le but est de « démystifier la trisomie 21 et d'interpeller le grand public, afin de permettre une réelle intégration des personnes qui en sont atteintes », comme le réclame le communiqué de presse. À ma façon, par mon article, je contribue à diffuser l'information, je suis un vecteur de sensibilisation, comme le rat de la peste.

Qu'est-ce qui te choque encore ? Tu n'aimes pas les rats ? Peut-être aurais-tu préféré penser à autre chose en cette belle journée d'équinoxe ? À sainte Clémence, dont c'est aujourd'hui la fête catholique ? À la nature ? Petit veinard, le 21 mars, c'est aussi la Journée internationale des forêts. Mais tu es peut-être plus culture que nature. Réjouis-toi, alors ! Car le 21 mars, c'est aussi la Journée mondiale de la poésie, voulue par l'Unesco. Mais ce n'est pas tout : le même jour commence la SSPLRDR, autrement dit la « Semaine de solidarité avec les peuples en lutte contre le racisme et la discrimination raciale », patronnée encore une fois par papa ONU, et qu'il est difficile d'ignorer quand on veut avoir bonne conscience. Quelle cause choisir ? Décidément, il y a bousculade. Une saine concurrence entre les engagements vertueux. Il faut organiser l'emploi du temps de nos réflexions solidaires : le matin, on pense forêts, l'après-midi, racisme, et, au moment des repas, on goûte un peu de poésie. Le soir, une prière pour dormir. Que reste-t-il aux trisos ?

Tu es encore choqué, à ce que je vois. Laisse-moi deviner... Le terme « triso » t'ennuie. Ce n'est qu'une troncation, une apocope innocente, comme auto, météo, dactylo, mais ça te gêne. Gastro, oui, triso, non. Peut-être as-tu traîné à la sortie d'un lycée, où tes oreilles ont frémi aux expressions comme « Arrête de te la jouer triso, comme Hollande » ou « T'as vu ta gueule de triso, face de bite ? ». Le triso péjoratif est d'un emploi récent, il n'existait pas il y a vingt ans — on disait mongolien ou gogolito, on le dit toujours. Trisomique était un adjectif médical, signifiant « atteint de trisomie », la maladie des trois chromosomes. Et tout ce bonheur lexical des cours de récré d'aujourd'hui, c'est aux efforts de l'ONU et aux campagnes de sensibilisation qu'on le doit. Dis-leur « merci », triso.

LEÇON DE VOCABULAIRE

Dans le cadre de la victoire prévue de François Hollande au second tour de l'élection présidentielle, afin de réduire le temps d'adaptation de nos lecteurs à cette nouvelle gouvernance, il est proposé d'apprendre dès maintenant les principales expressions qui seront d'usage intensif à compter du 6 mai. Il est recommandé de les prononcer lentement pour que votre interlocuteur ait le temps de meubler par lui-même en fonction de ce qu'il veut entendre.

Vocabulaire de base : convergence, concertation, commission, reconstruction, texte de fond, déclaration de principe, consultation participative, péréquation.

Expressions évoluées : corps intermédiaires, pôle des usagers, fléchage éducation/gratuité, politique qualitative, sécurité collective, une grande loi-cadre, sur la base de critères objectifs, logique vertueuse d'encouragement, vocation sociale des entreprises, cycle de concertation, pacte de confiance et de solidarité, grande conférence économique et sociale, principes fondamentaux de l'État de droit, soutien aux filières d'avenir, pacte de responsabilité, de gouvernance et de croissance, réciprocité en matière sociale et environnementale, cadre financier durablement équilibré, prise en compte de la santé publique, dispositif de l'aide médicale d'État, règle des trois tiers bâtis, critères de qualité de l'emploi et de conditions de travail, actions de cohésion sociale en lien avec les collectivités et les associations, développement des plates-formes multimodales, sécurisation des parcours professionnels, décloisonnement des filières, rassemblement génération création, mise en œuvre des investissements d'avenir, promotion des coopérations et des mises en réseau, maillage culturel, sécurité de proximité, justice de proximité, clarification des compétences, démocratie sociale, une relation fondée sur l'égalité, la confiance et la solidarité, politique industrielle de défense ambitieuse, duopôle avenir solidarité.

Expressions plus longues pour animer une conversation et donner du sens : une véritable péréquation sera mise en œuvre, orientation n'est pas sanction, réflexion pertinente sur l'aménagement du territoire, réorienter vers le préventif, toiletter l'ensemble de notre gouvernance, mettre nos concitoyens au cœur des décisions, instauration d'un cadre politique et réglementaire adapté, collège spécifique des usagers domestiques, pôles d'ingénierie publique territorialisés, réorientation des cultures dans les zones de tension, en lien avec les nouvelles orientations de la politique agricole commune (PAC), sous réserve des règles particulières applicables en Alsace et en Moselle, croire à nouveau en un progrès au service de tous, resserrer les liens entre l'armée et la nation.

Phrase complète à apprendre par cœur : Nous devons faire de l'eau une question politique, éthique et citoyenne avant d'en faire une question technique.

Niveau avancé. Pour celles et ceux qui maîtrisent déjà l'ensemble du cursus, relire le texte ci-dessus et chercher l'intrus : une seule des expressions a été entièrement inventée et ne figure pas dans les « 60 propositions » ou dans l'une des interventions récentes de François Hollande que l'on peut réviser sur francoishollande.fr. Bonne chance !

SURVEILLANCE ET VIGILANCE

— Mohamed Merah, bonjour, asseyez-vous. Si nous vous avons convoqué aujourd'hui à la DCRI, nous qui sommes le contre-espionnage veillant à la sûreté des Toulousains, c'est pour vérifier avec vous quelques points importants de votre parcours. Oh, rassurez-vous, ce ne sont que des formalités, vous comprenez bien que nous sommes obligés de recouper des informations — c'est la direction générale de Paris qui nous enquiquine avec de la paperasserie —, ne nous en veuillez pas trop, monsieur Merah, il n'y a pas de sot métier. Alors, on nous dit que vous avez fait un petit voyage dans le Waziristan, cette partie des zones tribales du nord-ouest du Pakistan, et en Afghanistan, où vous seriez resté plusieurs mois. Excusez-moi si j'empiète sur votre vie privée, que faisiez-vous là-bas, au juste ?

— Du tourisme, milk-shake ta mère la pétasse.

— Je note : « Du tourisme. » C'est parfait. Vous avez raison, ce sont de bien belles régions assez méconnues et c'est dommage. Que voulez-vous, le poids de l'Histoire... Je lis également dans votre dossier que vous aimez regarder des vidéos de décapitations, de lapidations. Vous avez cherché à partager ces images avec des mineurs de votre voisinage, parfois en les forçant à regarder avec vous.

— Hé, z'y va l'bouffon, c'est une collection comme les timbres, je veux leur donner ma passion, fourre-toi le fion au goupillon.

— Je note : « Comme les timbres. » C'est drôle, moi, je collectionne les emballages de La vache qui rit. J'en ai plus de cent. Si un jour vous mangez du fromage et que vous voulez échanger... Loin de moi l'idée de stigmatiser, monsieur Merah, mais votre teint, comment dire, bougnoulisant, cette djellaba qui dépasse de sous le jean, votre comportement parfois limite et vos quinze condamnations nous rendent un peu soupçonneux, forcément.

— Hé, m'sieur, j'le f'rai plus, m'sieur, faut pas oublier la putain de présomption d'innocence, sa grand-mère la grougnasse.

— Je note : « Il regrette et s'excuse. » Et on dit après ça que les jeunes n'ont pas de repères ! Il reste un dernier point. Tout en refusant les amalgames, il paraît que vous êtes fiché par le FBI, qui vous aurait « interdit de vol » sur tout le territoire américain. Comment l'expliquez-vous ?

— Les Américains, je leur baise la race, y tuent mes frères, je vais leur éclater la rondelle à coups de sabre, à ces chiens d'enculés sodomites.

— Ça fait plaisir à entendre ! Moi aussi, c'est ce que je dis toujours : le FBI, la CIA sont des rigolos à la réputation surfaite. Alors que nous, à la DCRI, c'est tout de même une autre pointure. Moi, j'ai tout de suite vu que vous étiez *clean*, et vous savez pourquoi ? Élémentaire, mon cher Merah, parce que vous ne portez pas la barbe ! Ah, je vous vois comme deux ronds de flan devant notre sagacité. Ce sont là les résultats concrets de la fusion des RG et de la DST. Mais bon, je ne peux pas vous en dire davantage sur nos méthodes, c'est secret-défense. Au plaisir, monsieur Merah.

— *Allah akbar.*

FOFANA, MERAH,
JAMAIS DEUX SANS TROIS

Stop, la campagne. Coucouche panier. Il s'est passé des choses suffisamment immondes pour faire taire le bruissement insignifiant de l'actualité et revenir quelques semaines en arrière. Non, tout n'a pas été dit. Il y a une question de perspective.

Le fait est qu'aujourd'hui, en France, il peut arriver qu'un jeune entre dans une école et abatte à bout portant des enfants au prétexte qu'ils sont juifs. Comme il est fier de son exploit, il enregistre l'épopée pour en mettre plein la vue à ses amis (mon voisin ado se filme aussi quand il fait du skate). Il déclare avoir pris son pied et il regrette de ne pas en avoir tué davantage.

C'est un acte isolé, certes, mais quel acte ! Et isolé, faut voir. Car, aujourd'hui, en France, il peut arriver qu'une bande de copains s'amusent à torturer un homme pendant vingt-quatre jours dans une cave au prétexte qu'il est juif. Ayant un QI moins élevé, ils ne pensent pas à garder des traces numériques de leur chef-d'œuvre, mais leur leader émet l'idée qu'ils pourraient en tirer un bon livre — s'ils savaient écrire. (Pour l'instant, le projet n'a pas abouti. Gageons qu'il se trouvera un journaliste compatissant qui les aidera à accoucher en flattant leur catharsis.)

Si d'aventure un écrivain avait eu la mauvaise idée d'inventer Merah ou Fofana dans un roman, ce serait toute l'armée des singes qui nous servent de critiques littéraires qui aurait crié à la « démagogie », à l'« amalgame », à la « provocation gratuite ». On l'aurait accusé de gore facile, de surenchère macabre. Pourtant, le fait est qu'aujourd'hui, en France, on peut être Merah, Fofana, et que l'on trouvera des âmes charitables pour vous consacrer des minutes de silence. On peut être Merah, Fofana, et bénéficier de la présomption de l'excuse : la longue litanie des « Ce sont de jeunes paumés », « C'est à cause des enfants de Gaza », « C'est des malades, comme Breivik », « Ils ont été instrumentalisés », autant de petits bravos qui ne disent pas leur nom. Nos news magazines collent leur rictus en couverture, leur joie espiègle de nous pisser à la raie. On peut être Merah, Fofana, et devenir des stars en tuant des Juifs de manière artisanale, en face à face, avec ses dix doigts, en s'éclatant et en éprouvant une juste fierté devant le travail bien fait.

On en vient donc à pousser un cocorico légitime : il n'y a aucun autre pays où l'antisémitisme d'action se porte aussi bien que chez nous (même l'Ukraine paraît fade). Sur ce terrain, l'échec morne du politique rejoint celui, patent et pétant, des associations antiracistes. Malgré trente ans de « marches de l'amitié », de slogans infantilisants, d'efforts de sensibilisation, de plaintes contre tout ce qui bouge et de lois mémorielles, les Français gardent un antisémitisme de proximité, et ils y tiennent comme à leurs fromages.

Les domaines où la France est première de la classe ne sont pas si nombreux, et j'ai été presque étonné de ne pas voir tomber un communiqué officiel de l'Élysée, dans le style de *The Artist* : « Le Président tient à cette occasion à renouveler son soutien à tous les acteurs de la filière, qui, techniciens ou artistes, concourent à faire de l'antisémitisme français l'un des tout premiers au monde. » Ce sera sans doute pour la prochaine fois. Car il y aura une prochaine fois.

LE CALENDRIER DE L'AVENT FRANÇOIS HOLLANDE

Bonjour, les enfants. Bonjour, toi. Aujourd'hui, j'ai besoin de tous les pirates, de toutes les princesses, pour réaliser avec moi un grand projet de solidarité transgénérationnelle.

Tu as sans doute remarqué, mon petit chéri, que les grandes personnes sont un peu bizarres ces dernières semaines. Peut-être as-tu des parents, toi aussi, qui parlent de « report de voix », de « vote blanc », de « Mélenchon », de « Bayrou », le soir au dîner. Une grand-mère qui feuillette tristement

Télérama, en se plaignant d'être encore dans cet interminable mois d'avril où rien n'est joué. Peut-être as-tu remarqué leurs sautes d'humeur fréquentes : ils passent de l'euphorie, après un bon sondage, à l'apathie si les chiffres sont plus serrés. Ils sont grognons et nerveux, ils oublient de faire caca, et parfois tu les entends s'esclaffer : « Abstention, piège à cons ! »

C'est le syndrome de la Victoire programmée. Les grandes personnes n'en peuvent plus d'attendre le 6 mai. Ce n'est pas une maladie grave, mais il faut les soulager. Mets-toi à leur place : toi aussi tu es fébrile avant le grand soir de Noël. Alors, écoute bien ce qu'on va faire. Prends une grande feuille, de la colle, des ciseaux. Nous allons construire un calendrier de l'avent François Hollande. Dans chaque case, on dessinera un petit objet caché qui va faire plaisir à la grande personne et lui rendra gaieté et patience. Voici une liste de ce que tu peux dessiner.

Un grand smiley rose. Attention, ce n'est ni un sourire de communicant, ni un sourire hypocrite, non, non et non, c'est un sourire où luisent la bonté et la simplicité. « Il a un vrai sourire. » (Pierre Lescure.)

Un scooter. Un scooter n'est pas une Porsche, et ce n'est même pas une Clio. On a de la peine à le croire, mais François se déplace partout en scooter ou à pied comme un simple mortel, car « [il] est une personne normale » (re-Pierre Lescure).

Un cœur gros comme ça. « C'est un type modeste. Il s'intéresse plus aux autres qu'à lui-même. » (Laure Adler.) Le cœur de Mimie Mathy ressemble à une petite crotte desséchée à côté de celui de François, c'est te dire. Des cœurs, tu peux en mettre beaucoup, car c'est principalement ce qui fait vivre de nombreuses grandes personnes en ce moment. « Ça fait longtemps que mon cœur n'a pas battu de cette manière-là. » (Pierre Arditi.)

Un ballon. « Je lis *L'Équipe* tous les matins. » (François Hollande.) Tous les lundis, il y regarde les résultats du FCR, le Football Club de Rouen. Et toi, quel est ton club de foot préféré ?

Une baguette magique. « Je pense que François Hollande est la seule personne qui est capable de sortir notre pays du marasme, du piétinement. » (Stéphane Foenkinos.) Il nous guérira de la dette par simple application des mains. Et si l'on ne guérit pas, c'est qu'on ne le mérite pas.

Tu trouveras d'autres idées magiques sur le site francoishollande.fr, rubrique « 1 jour 1 soutien ». Et n'oublie pas de dessiner l'Adversaire, rampant et gluant comme ce mois d'avril qui n'en finit pas. (Tu te rappelles Voldemort ?)

Voilà de quoi rassurer les grandes personnes pendant ces vingt jours qui les séparent de la Félicité. Ne te moque pas d'elles, mon petit chéri. Sois indulgent. Les grands sont encore si petits, si charmants dans leur naïveté.

CREDO

Je crois en un seul François Hollande tout-puissant, créateur du Ciel et de la Terre, de toutes les choses visibles et invisibles, mais pas du chômage ni de la dette, ni en Corrèze ni ailleurs.

Je crois en un seul François Hollande, né de son père avant tous les siècles, Lumière issue de la Lumière, vrai Dieu issu du vrai Dieu, engendré et non créé, consubstantiel au PS et par qui le miracle a été fait. Je crois en un seul François Hollande, descendu du grand éjaculat transcendantal de François Mitterrand lui-même, venu pour nous, les petits hommes, et pour notre salut afin de combattre le Démon, dont il a été déclaré vainqueur au deuxième tour de la grande élection purificatrice.

Il a été crucifié pour nous sous Ségolène, il a souffert et il a été mis au tombeau ; il est ressuscité des morts grâce à une femme de ménage noire ; il a remporté les primaires citoyennes conformément aux Écritures ; il a profité du référendum anti-Démon qu'était cette élection et de toutes les saintes alliances contre ledit Démon, et du report de voix dans le cul du Démon, et du Démon lui-même qui s'est lui-même tiré une rafale de mitrailleuse dans son pied abject — tout cela pour monter au firmament, où il siège maintenant pour les cinq années à venir, et d'où il se consacre entièrement au ravissement des

Français en les lavant de leurs péchés (dette, obésité, racisme, production excessive de CO_2 et disette spermatique).

Je crois en un seul François Hollande, qui a été donné ici-bas pour servir de punching-ball à mon insolence, et ce dès la première semaine de son glorieux règne, et même si je me suis déjà un peu défoulé sur sa bienheureuse personne en des temps antérieurs, ça ne compte pas, car il n'était pas encore l'astral bonhomme qu'il est devenu par son calvaire et sa résurrection ; on remet donc les compteurs à zéro et l'on repart de plus belle.

Je crois en un seul François Hollande, président sans grâce et sans état (de grâce), qu'il me convient de cogner avec autant de zèle que j'ai mis naguère à taquiner le Démon, et bien davantage même, car il bénéficie d'un consensus mielleux dans l'intelligentsia dont ne pouvait se prévaloir l'Inculte suprême.

Je crois en un seul François Hollande, président estampillé *Télérama, France Inter, Le Monde,* porté aux nues par les archanges *Libération* et *Le Nouvel Obs,* désormais organes officiels de la sainte présidence, qui l'accompagneront dans sa divine mission de péréquation, de jouissance et de bonheur normalisés, pour le plus grand triomphe des arts et de Benjamin Biolay ; président de tous les justes qui obtiendront un strapontin lucratif au CSA, à la BNF, à l'Ademe, à l'Acta, à l'Afssa, à l'Anvar et à l'Asshome.

Que la nuée des soixante mille fonctionnaires ailés protège ses pas ! Que partent les riches de notre pays de cocagne, car ils ne sont pas dignes de nouer ses sandales ! Que tremble Babylone Merkel ! Que s'accomplisse la prophétie de ses soixante engagements ! Pendant qu'il fera des prodiges, on occupera nos colonnes indignes à nous repaître des hypocrisies et impuissances qui seront le lot de sa cour, bravant sa colère divine, car telle est notre misérable vocation de sangsues. Que le grand cric nous garde de la complaisance ! Amen.

VINGT ANS SANS BERGER

Bonjour, Michel. Bien dormi ? Ça doit te faire drôle de te réveiller vingt ans après ta mort, hein ? Un pépin cardiaque dans un corps en pleine forme, à 44 ans, quel manque de chance ! Il aurait été dommage de tout bazarder dans un cimetière. Surtout que tu avais un coup droit d'enfer. Alors on a préféré la cryogénisation. On a bien fait, non ? Et regarde le travail ! Bon, tout n'est pas parfait. J'aime autant te le dire tout de suite : tes orteils sont irrécupérables, on a été obligé d'amputer. Le petit oiseau aussi, d'ailleurs, c'est le principe de précaution. De toute façon, tu ne comptais pas t'en servir, j'espère :

France Gall n'a pas rajeuni. Pour ces petits incon-vénients, on te présente nos excuses, comme dirait la SNCF, et l'on te remercie d'avoir patienté.

Ce machin en bois, Michel, c'est un piano. Tu te souviens ? Attends, approche, mets-toi debout près de l'instrument. « Il jouait du piano debout… » On va y coller quelques groupies, ça va tout de suite te sembler familier. Tu appuies sur une touche au hasard et ça fait une jolie note. C'est bien, Michel. Continue. Quel talent ! Trois notes lui suffisent et ça swingue déjà !

Tu retrouveras tes repères vite fait. Car rien, absolument rien n'a changé en vingt ans. Regarde autour de toi : Bernard Tapie, Martine Aubry sont toujours là. Les frères Bogdanov, qui t'ont tellement fait marrer avec leurs groins, sont encore au firmament. Le méchant sida est toujours là, lui aussi. Et l'on manque toujours d'eau en été — c'est la sécheresse perpétuelle, même quand il pleut. Le chômage est à 10 %, exactement comme en 1992. L'ENA forme toujours l'élite de ce pays enchâssé dans son système de castes. En vingt ans, aucun Steve Jobs à la française n'a émergé de nos très grandes, très meilleures grandes écoles qu'on nous envie partout dans le monde. Comme en 1992, les comités d'entreprise dépensent l'argent des sala-riés pour le bonheur de quelques privilégiés et un enseignant ne peut être renvoyé que s'il éjacule en public sur un mineur. Le racisme a fait de modestes progrès, le FN passant de 14 % aux régionales de 1992 à 18 % aujourd'hui. Les championnats de foot règlent les soirées et les conversations de bar, et l'on se shoote toujours autant à *L'Équipe* et à TF1. Alors, heureux ?

Le monde est méconnaissable, lui. La Chine est devenue le premier pollueur de la planète. La Russie a produit une flopée de milliardaires arrogants et crétins. L'Allemagne s'est réarmée. Mais nous, on est comme le Groenland. Rien, ici, ne changera jamais.

À ta mort, ce fut le deuil national. Puis, très vite, des chanteurs ringards comme toi, de cette ringardise qui suinte dès les premiers accords, ont pris ton relais : Zazie est devenue une star, puis il y a eu Benjamin Biolay, Bénabar… Tes mélodies ont éduqué nos oreilles à toutes les soupes à venir. Une semaine de formation à YouTube (c'est une sorte de Minitel, en moins bien) et tu reviendras vite au sommet des charts. Tu es fait pour la France, Michel — je veux dire le pays, pas la Gall.

Où vas-tu, Michel ? Je te vois tout pâle. Ton pouls ralentit. Tu te tiens le cœur, hamburger. Tu nous quittes déjà. Ça ne te plaît pas, 2012 ? Allons… Résiste ! Prouve que tu existes ! Si tu veux, je te montrerai mon iPad (c'est une sorte de Bi-Bop, en moins bien).

TOTO SE FAIT UNE EXPO

Réjouis-toi, peuple de gauche, la prise en main du nouveau président par le secteur marchand a commencé.

Ce néo-Fouquet's socialiste a eu lieu au vernissage de l'exposition Monumenta du Grand Palais, dont l'invité cette année est Daniel Buren, membre du comité de soutien à François Hollande et spécialiste du parasitage de lieux historiques réputés coincés du cul — l'hôtel Salé, la cour du Palais-Royal, l'hôtel de la Monnaie, etc. Au Grand Palais, il a fait installer une pergola géante, censée « révéler la monumentalité du lieu » à ceux qui en douteraient : assemblage de ronds translucides en plastique cheap et déjà sale, porté par mille cinq cents piliers noir et blanc — les chiens de Pavlov y reconnaîtront les fameuses rayures Buren, sans lesquelles aucune de ses œuvres n'est vraiment sienne et pourrait être confondue avec du mobilier JCDecaux.

Voletant autour de François Hollande, une ribambelle d'hommes et de femmes-sandwichs, représentant les intérêts de la mode, de l'archi, du design, de la déco chic, des expositions toc, et tout un essaim d'artistes en manque de fonds publics. Il y a les sacs Jérôme Dreyfuss, les vêtements grunge glamour Rick Owens et le maquillage L'Oréal, représenté par son maquilleur star Karim Rahman. Il y a

Sophie Calle, papesse de la branlette rhétorico-narcissique élevée en œuvre d'art et grande magicienne de la commande officielle. Et des marchands d'art, bien sûr, Kamel Mennour et Lorenzo Fiaschi en tête, rêvant au retour des cinq glorieuses, ces années Jack Lang de l'ère I, de 1981 à 1986, où les robinets se sont ouverts et emballés, l'art contemporain devenant instrument de pouvoir et puissante pompe à phynance pour quelques astucieux opportunistes. C'est avec l'argent du contribuable que l'on a créé Buren, qu'on l'a vu s'épanouir et triompher ; tous ceux qui sont là le savent, et ils se disent que leur heure est venue, enfin, avec ce nouveau timonier qui a l'air tellement porté sur le culturel. Des mains se frottent, des glandes salivent.

Quel a été donc le commentaire du président, ébaubi par cet assemblage de ronds bleus, orange, jaunes et verts, lui qui ne collectionne rien et dont le patrimoine publié au *JO* est celui d'un Français assez moyen ? « Le travail de l'artiste est aussi méticuleux qu'une campagne : il faut tout prévoir, tout dessiner, et prévoir la fin. » Une lapalissade de président n'est pas une lapalissade comme une autre ; en la décortiquant, on peut tenter d'y lire l'avenir. Là où un Mitterrand, un Chirac auraient récité une phrase chaloupée, teintée de cuistrerie, Hollande se contente d'un commentaire hors sujet, dans une langue en papier aluminium. Les moucherons présidentiels, les marchands, les plasticiens ont dû frémir devant tant d'ingénuité. La route jusqu'au nirvana promet d'être longue.

Au fait, pourquoi ces couleurs ? Explication de l'artiste : « La fabrique qu'on a trouvée [...] ne fabrique que ces quatre couleurs. Il n'y a aucun choix de ma part, ce sont les seules couleurs qui existent. » On appréciera ce choix du non-choix, ce pragmatisme économico-industriel, ce minimalisme d'apparence à une époque où les déficits se creusent. En fin commercial, Buren insiste : « C'est une structure assez légère, qui n'a coûté qu'un million d'euros. » C'est donné. Anish Kapoor, l'installé au Monumenta de l'année précédente, avait coûté le triple. Qu'on se le dise : à charge symbolique et culturelle équivalente, Buren offre un excellent rapport qualité-prix. Es-tu là, le bon entendeur du Cnap, des Frac, des Crac ? *« Good business is the best art »*, disait Warhol.

CHARTE DE DÉONTOLOGIE

Afin d'aider à la construction et à la préservation de ce lien de confiance que les Français ont accordé au présent gouvernement, voici une liste de quelques principes simples qui doivent guider le comportement de ses membres.

Personne, sous aucun prétexte, ne prendra un Falcon ou ne se fera photographier à côté de ce symbole de l'arrivisme et des passe-droits. La même attitude devra prévaloir avec les mauvaises habitudes suivantes, par ordre décroissant de gravité : Porsche Cayenne, Porsche Ray-Ban, Porsche Segway, Porsche iPhone 4S. Les chaussures Berluti seront systématiquement confisquées et brûlées avec les saisies en douane.

Les membres du gouvernement ont la liberté de parole en tout temps et en tout lieu, cependant, la condamnation de Jean-Marc Ayrault ne devra être abordée sous aucun prétexte, jamais, jamais, jamais. Si un journaliste pose la question, on lui répondra « Hé! toi-même! » ; s'il insiste, on dira « Gaffe à ton accréditation », cela devrait suffire. Celui qui prononcera le nom « Tristane Banon » verra ses disques de Bénabar confisqués ; celui qui dira « Guérini », ou « Navarro », ou « Kucheida » comprendra pourquoi il pleure.

Les membres du gouvernement devront impérativement se tenir à l'écart de DSK, dit « le mort-vivant » ; ceux qui seront vus en sa compagnie seront placés en cellule de décontamination pour cinq ans. Julien Dray, ayant été DSK-irradié, devra être considéré comme irrécupérable. Qu'une chose soit claire : Pierre Moscovici n'a jamais vu DSK de sa vie. Quiconque se souviendra de son prétendu copinage avec le mort-vivant sera sanctionné — une autoflagellation ne suffira pas ; on pourrait couper quelque chose.

À l'étranger, afin d'éviter de passer pour un néocolonialiste option MAM, les membres du gouvernement ne monteront dans aucun train, voiture, pousse-pousse ou chameau conduit par un autochtone de couleur. Une liste des cadeaux à moins de 150 euros que l'on peut demander au Père Noël lors d'un voyage en Afrique sera déposée au Printemps.

Avant chaque Conseil des ministres, Valérie Trierweiler vérifiera la propreté des mains, la présence de graisse luisante sur les lèvres, la pliure du pantalon, et, chez les hommes, l'absence d'érection ostentatoire due à la parité féminine. On prendra l'habitude de s'inspecter mutuellement pour les poils disgracieux (narines, oreilles) que l'on éliminera après une délibération collégiale.

Les membres du gouvernement sont au service de l'intérêt général. C'est pourquoi, quand ils iront pisser, ils viseront le juste milieu de la cuvette. Celui qui mettra à côté restera le soir et nettoiera lui-même. Attention, la parité féminine ne doit pas occuper les toilettes plus longtemps que les membres normaux, au risque de décrédibiliser l'action du gouvernement et le principe de solidarité. Un strict chronométrage sera effectué. Dans un geste de compréhension et de soutien à la parité féminine, les membres masculins du gouvernement pourront venir avec un tampon hygiénique discrètement introduit dans la boutonnière.

À la fin de chaque Conseil des ministres, on restera assis, on se donnera tous la main en souriant amicalement les uns aux autres, et l'on prononcera, en chœur avec Jean-Marc Ayrault, la formule « *Gesegnete Mahlzeit* », et aussi « *Liebe Sonne, liebe Erde, euer nie vergessen werde* », qui sont des prières samouraï pour se donner du courage face à la méchante Allemagne.

Et qu'on ne dise pas après qu'on ne vous a pas prévenus.

MENHIR PARADE

Il y a toujours un truc débile à faire à Paris, et généralement il se trouve place de l'Hôtel-de-Ville — à tout seigneur tout honneur. Exception à la règle, la « Menhir parade », nonchalamment posée sur le parvis de la mairie du XVe, où le promeneur de la fin mai a l'occasion de se cogner à un défilé de « menhirs », longue succession de 35 suppositoires géants de 2,3 mètres de haut, décorés par trente-cinq artistes : à chaque artiste son menhir, à chaque jour son action de sensibilisation — là, ce sont des entrepreneurs bretons qui nous font découvrir un savoir-faire épatant. L'ensemble est à ce point laid et ringard qu'il faut absolument prendre la peine de le visiter. La tête de veau sentira son cœur gambader de tendre nationalisme parigot et l'on pourra, la conscience légère, clamer l'antienne « Ils sont tous de gentils retardés, ces provinciaux » ; le Breton, lui, sera agréablement surpris de redécouvrir son pays natal sous un jour folklorique ô combien original, car chacun sait que le menhir est à la Bretagne ce que la cigogne et le FN sont à l'Alsace, l'alpha et l'oméga de l'âme.

Décidément, le « dynamisme et le sens de l'innovation » bretons sont à la fête, alliés à un toucher artistique hors du commun. Il n'y manque rien, sur ces menhirs. Une colombe de la paix. Une poupée celte. Une croix (celtique). Un voilier. Un phare. Une pulpeuse sirène. Un bébé. Une galaxie — voyez grand. Bécassine (ou une petite fille qui lui ressemble). Des embruns. Un pêcheur avec une pipe. La Joconde en trompe l'œil surmontée d'une coiffe bretonne. Le mot « ouest » à toutes les sauces. Soudain, un énigmatique « *Love in street* », écrit verticalement — les Bretons sont des branchés *hype*, ils connaissent l'*english* et ils le causent *justik*. Qu'il est touchant, le romantique « regard de breizh », écrit en azur et entouré de petits cœurs ! Autant de petits bonheurs que l'on s'arrachera à la vente aux enchères prévue à la fin de la tournée des menhirs, qui, après avoir triomphé à Paris, passera par Paimpol, Lannion, Plestin-les-Grèves et Pleumeur-Bodou. Car ils ne font pas les choses à moitié, les Bretons. Le projet « s'est positionné d'emblée dans une volonté humanitaire », lit-on dans le dossier de presse : 25 % du prix d'adjudication ira au profit d'une association caritative, les 75 % restants allant dans la poche de l'artiste (breton, AOC). On regrettera toutefois qu'une complainte de binious (ou de Nolwenn Leroy) ne s'échappe malicieusement de quelque haut-parleur.

Car la Menhir parade est, hélas, silencieuse. C'est la seule chose qui la différencie de la Techno parade. Dans les deux cas, cependant, on impose une pollution, sonore ou visuelle, à ceux qui n'ont rien demandé. Même débauche de couleurs criardes. Même sensation d'infantilisme planétaire. Même prévisibilité : rien ne ressemble plus à un char bourré de boîtes à rythmes et de séquenceurs qu'un autre char bourré de boîtes à rythmes et de séquenceurs (cette répétition laborieuse est voulue — montrant la pénibilité de mon travail, elle me permettra de faire valoir mes droits à la retraite). Surtout, même obligation de faire la fête, de s'extasier devant l'insignifiant avec cette joie un peu toc, une joie sociale.

Il reste le nettoyage, après la parade. Je n'ai pas eu le temps de guetter le démontage des menhirs. Mais je vous promets que le meilleur moment de la Techno parade, le plus humain, a lieu quand les services municipaux, armés de lances à eau, font sauter les détritus.

L'OPTION
XAVIER DUPONT DE LIGONNÈS

Suite à la brillante disparition de l'homme le plus recherché de France, souhaitant encourager la dimension entrepreneuriale des jeunes Français, la prise de risque, la gestion du stress et la débrouillardise dans un monde où la compétitivité est moteur de croissance, le ministère de l'Éducation nationale et de la Réussite scolaire propose d'introduire une option XDdL pour le baccalauréat. Cette option sera ouverte dès cette année. Dans un souci de transparence et afin d'éviter les problèmes de fuites sur Internet, le ministère a décidé de publier les sujets du baccalauréat XDdL à l'avance, dans le tableau ci-dessous.

PHILOSOPHIE. Faut-il oublier le passé pour se donner un avenir ?

GÉOGRAPHIE. À partir d'une ville française (Nantes), dessine les chemins qui mènent en Australie, en Amérique. Place approximativement la Floride sur une carte. Quelle musique écoute-t-on quand on roule sur la route 66 ? Explique. Si tu avais un point de chute en Amérique, quelle ville choisirais-tu de préférence ? Raconte. Quels pays ont une frontière commune avec la France ? As-tu entendu parler d'Abbottabad ? Explique en quoi ce n'est pas une option.

MATHÉMATIQUES. Une émission de Jean-Marc Morandini sur Direct 8 comprend une entrée au choix : un criminel arrêté (CA), un criminel en cavale (CC) ou une victime (V) ; un plat principal au choix : témoignages de voisins (T) ou ragots divers (RD) ; un dessert au choix : prison (P) ou mort du coupable (M).

1. Construire un arbre pour représenter les 12 menus possibles se composant d'une entrée, d'un plat principal et d'un dessert.

2. Marie est très sensible. Elle ne supporte ni la vue des victimes, ni la mort du coupable. Parmi les 12 menus proposés par Morandini, combien correspondent à ses habitudes télé ? Sur les 1 652 000 spectateurs qui ont regardé l'émission sur XDdL (record d'audience), estimez le nombre de ménagères dites sensibles. (L'usage des calculatrices est interdit.)

ÉCONOMIE. En fuite, Xavier retire 30 euros à un distributeur. À l'aide de vos connaissances, répondez aux questions suivantes :

1. Montrez que Xavier peut bénéficier du régime de l'auto-entrepreneur s'il a utilisé la carte de sa femme. Présentez les avantages puis les inconvénients de ce statut pour Xavier.

2. Indiquez deux solutions que Xavier peut envisager pour protéger son patrimoine de 30 euros contre les créanciers. Quelles sont ses obligations comptables ? Comparez l'état de son dénuement avec l'économie grecque.

ÉDUCATION PHYSIQUE. Creusez un trou de 3 mètres de long, 0,70 mètre de profondeur en moins de trois heures, dans une terre meuble, Pays de la Loire ou équivalent, avec une petite pelle-pioche de l'armée. Les candidats pourront s'aider de leurs mains et seront jugés sur la propreté de leurs vêtements à la fin de l'exercice.

Le baccalauréat général option XDdL ouvre à son titulaire les portes d'une formation pluridisciplinaire, souvent de cycle court mais efficace, type BTS (XDdL) ou IUT (XDdL). Les meilleurs décrocheront un master, qui leur permettra d'avoir rapidement une maison cosy avec jardin et terrasse, bien située en centre-ville, dont la valeur tournera autour de 400 000 euros. Un atout appréciable pour fonder enfin une famille.

SOINS PALLIATIFS

Une grand-mère de 59 ans, habitant à Dijon et très impliquée dans la vie associative, a été élue dimanche à Nice (Alpes-Maritimes) Super Mamie France 2012 lors de la finale de ce concours organisé depuis seize ans. Neuf grand-mères de 52 à 79 ans étaient en lice. (Dépêche AFP, 3 juin 2012.)

Vous connaissez une mamie ? Bravo. Elle n'est pas encore en maison de retraite ? Excellent. Vite, n'hésitez plus, inscrivez-la au concours des super-mamies. À côté du plus beau porc des médailles agricoles, de la plus savoureuse andouille de l'Ardèche et du prix Goncourt, votre mamie pourra s'enorgueillir de participer à une compétition originale et sympathique, reflet d'une époque mielleuse et grabataire, et, qui sait, repartir avec le premier prix : une écharpe à la Miss France et un voyage en Tunisie. Très bien, me direz-vous, mais que faut-il faire ?... Quelles conditions réunir ? Ma mamie, malgré les apparences, vaut-elle encore quelque chose à l'Argus ?... Où puis-je la faire estimer ?... Autant de questions légitimes. Car on ne le sait pas assez : certaines mamies sont de collection. Voici quelques repères pour ne pas passer à côté du filon.

Sachez que la super-mamie est procréatrice avant tout : il faut avoir transmis ses gènes sur au moins deux générations pour pouvoir postuler. Comme pour la truie, plus on a de descendants, mieux on est noté. Une mamie de Bretagne, vingt-deux fois grand-mère et dix fois arrière-grand-mère, est arrivée en finale. Prenez-la comme exemple.

La super-mamie est sportive. La gagnante de 2012 pratique le VTT, ce qui n'est pas donné à toutes les jeunesses. Loin de déprimer au seuil du néant, super-mamie est source d'énergie. Mais pas seulement. Elle est généreuse. Elle s'implique dans la vie « solidaire ». « Pour quelle cause humanitaire ou association souhaitez-vous vous investir ? », insiste le dossier de candidature. Car on ne naît pas super-mamie, on le devient. « Quel message souhaitez-vous véhiculer au travers de cette élection ? » « Quels sont, d'après vous, le rôle et la mission d'une grand-mère ? » « Quelle(s) activité(s) pratiquez-vous avec votre (vos) petit(s)-enfant(s) ? » Autant de réponses-étapes destinées à préparer le terrain à la séquence émotion, le jour de la finale. « Sur scène, votre enfant et votre petit-enfant devront répondre, sous forme de texte ou de chanson, à une question : Pourquoi ma mamie est super ? » À cet instant, malgré les larmes qui l'étouffent, la mamie a le droit de chanter, elle aussi. De ce bonheur en fusion sortira la gagnante.

Les obsédés, dont je suis, regretteront qu'un défilé en maillot ne soit pas au programme. La sexualité des seniors, comme on dit pudiquement, est encore taboue. Pourtant, Jane Fonda, égérie gérontobandante de L'Oréal, vient parader au Festival de Cannes à 74 ans, preuve s'il en est qu'à défaut de libido les seniors ont un porte-feuille et qu'ils dépensent en cosmétiques ce qu'ils économisent en stérilets et vibromasseurs.

Vous l'avez compris, les grand-mères sont tendance. Elles tiennent chaud en ces temps de crise. Ne sont-elles pas la seule chose qu'il nous reste quand tout est hypothéqué ? C'est pourquoi, devant les nuages noirs qui nous viennent de Grèce, d'Espagne et du Poitou-Charentes, nous appelons à élargir l'élection de Super Mamie à d'autres catégories totémiques du quatrième âge. L'année prochaine, sous le haut patronage de feue Danielle Mitterrand, une Miss Soins palliatifs nous redonnera sourire et joie de vivre.

LE HIT DE L'ÉTÉ

Coincée sur un passage piéton,
Blanchie par l'âge, séchée croûton,
La colonne raide comme un étron,
Une grabataire tourne en rond.

Depuis longtemps le feu est rouge,
Chez les piétons personne ne bouge,
Chacun plongé dans ses pensées.

Méditations de nos ovaires,
On fait des plans sur le salaire,
On songe à la rentrée scolaire,
Les fins de mois sont angoissées,
Les seins ne cherchent qu'à s'affaisser,
Les bourses sont vides. C'est la galère,
Nos comptes sont à découvert.
Les ados veulent niquer leur mère.
Dans ce contexte d'égoïsme,
Comment supporter le gâtisme
Des vieilles momies, leur botulisme,
Leurs cataractes de sorcières ?
Personne ne voit, personne ne bouge,
Bientôt mamie sera toute rouge.

(Refrain)

Les mamies sont de saison,
Leurs tissus démolis,
Ferment notre horizon.
Ces pissenlits
Pissent au lit,
Sans raison.
La Sécu en faillite
Doit être reconstruite.
Tous ces vieux clits
Sont des parasites.
Hit mamie, hit mamie ! Hit ! Hit !

La dame est vieille et toute voûtée,
Elle bave du pus sur les côtés.

Toute sa vie aux PTT,
Elle a tété l'État athée.
Maintenant, sur l'asphalte de l'été,
Elle déambu'le déambu'
Le déambu'vermoulu pue
Le déambulateur ondule
Son existence de rebut,
Son existence minuscule.
La bouche est sombre et édentée…
L'euthanasie est volupté !
Au diable craintes et scrupules !
Il nous faudrait une canicule
Ou, à défaut, un véhicule.

(Refrain)

La merde s'écrase,
L'avion s'écrase,
Qu'il y ait ou non un kamikaze,
À l'arrogant on dit : « Écrase ! »
L'Espagne nous écrase au ballon,
Hollande écrase un roupillon,
Nos rêves s'écrasent en bouillon,
La Grèce s'écrase au FMI,
La boxe écrase les physionomies,
Le Japon boit un tsunami,
Mais qui écrasera mamie ?…
Venant de loin, un bruit sournois :
C'est un car de touristes chinois.
Enfin, sauvés ! Hip hip hourra !

Vingt-quatre volontaires,
Vingt-quatre téméraires
Ont traversé frontières
Pour panser nos misères,
Écraser nos vipères.
Ces bridés mercenaires,
Ces jaunes Jupiter
À but humanitaire,
Aideront à mettre en bière
Nos inutiles grand-mères.
Voyez : ils accélèrent !
Hip hip hip hourra,
Et cætera.
La mamie mourra.

(Refrain)

Soudain, venant à contresens,
Une benne poubelle roule en silence.
S'approche et CROUIC !
Le diagnostic
Sera basique.
Sur les mamies sans défense,
La mort travaille en free-lance.

CE FOOTING
DONT ON NE REVIENT PAS

Un jeune député socialiste plein de promesses vient de courir son dernier footing. Un samedi matin, il est allé faire quelques tours de chauffe, il est rentré chez lui et boum! Arrêt cardiaque. Il avait 42 ans — autant dire un gamin. Il ne fumait pas (je suppose), car les jeunes cadres remplis d'avenir ne fument jamais. En toute chose il était raisonnable. Il faisait du ski et du tennis comme des millions de blaireaux dynamiques. Allez savoir pourquoi, il ne pratiquait ni la boxe thaï ni l'haltérophilie. En pleine forme, il était. Aucune surcharge pondérale. Pas un iota d'obésité. Pas de drogue. Diplômé de l'ENA. Ajoutons qu'il était bien fait de sa personne. Très photo-hygiénique. Il attrapait la lumière et il parlait bien. « Gendre idéal », rapporte *Libération,* ce qui ne se dit pas de tout le monde. Le kling klang Terra Nova, le neurone pensant du PS qu'il avait fondé, se retrouve déboussolé. Diable! Jeune, intelligent, beau, énarque, socialiste et... mortel. Le gâchis est immense.

Un accident de la route, un crash d'hélicoptère, une avalanche dans les Alpes — on aurait pu comprendre, on aurait même dit qu'il l'avait cherché, mais un footing! Il n'avait aucun antécédent (les jeunes cadres remplis d'avenir n'en ont jamais). Mieux, il avait tout fait pour rester en pleine forme — c'est la raison principale pour aller au footing un samedi matin au lieu de roupiller. Voilà en somme un type qui meurt parce qu'il voulait vivre longtemps. Encore un que l'illusion d'immortalité a tué.

Car ce jeune ambitieux n'est pas le seul. J'apprends chez mon ami Antonio Fischetti que le sport fait huit cents morts subites par an. L'Inserm s'est penché sur la question, a façonné des statistiques. Les trépassés ont 46 ans en moyenne. Pas d'antécédents cardiaques, pour la plupart. Ils tombent comme des mouches et personne n'en parle ! On meurt de sport en silence. Et à grande échelle. Car huit cents morts ordinaires + un député = problème sanitaire. Figurez-vous que l'épidémie de sport fait presque autant de victimes que la grippe (en France, mille morts en moyenne par an ; des personnes âgées en priorité, et aucun député à ma connaissance, ce qui en limite la portée). La grippe, on en fait des gros titres chaque année, on investit les yeux de la tête en prévention, on construit des usines à vaccins qui ne durent qu'une saison, alors que la pratique du sport (potentiellement mortelle) est encouragée par les pouvoirs publics, y compris dans les écoles, dès le plus jeune âge. C'est à pleurer ! Chaque jour, des types en pleine forme se lèvent et décident de partir au footing car ils sont persuadés que ça leur fait du bien, des types dans la fleur de leur potentiel — pas des vieux ni des rebuts de la société —, un petit footing dont ils ne reviendront pas.

Heureusement, 30 % des adultes seulement pratiquent régulièrement une activité physique [étude Eastbrooks, 2 000]. On imagine les dégâts si ce pourcentage était amené à croître, comme l'y poussent les zélotes du sport, les médecins sadiques et les rubriques santé dans les magazines.

Sans aller jusqu'à l'issue fatale, je ne parle même pas du temps perdu pour la société. Alors qu'une bonne grippe, dans le pire des cas, ne fait perdre qu'une semaine par an, une activité physique de trois heures par semaine résulte en une amputation sèche de vingt journées de huit heures. Sans compter la douche après l'effort, les crampes et les coups de fatigue.

Sur ce, bons Jeux olympiques.

LE NOUVEL ABRAHAM

Votre enfant, votre ado vous gonfle ? Jetez-le par la fenêtre. Non seulement vous vous ferez plaisir, mais vous contribuerez ainsi à la construction de l'Europe et à la relance de l'économie.

Un peu de pédagogie. Partout en Europe, des enfants tombent régulièrement des fenêtres et se fracassent sur la chaussée. On peut le déplorer, mais on peut aussi adopter une attitude moderne et en faire des statistiques. Combien d'enfants ? Quels étages ? Quels pays ? L'association European Child Safety Alliance (ECSA), financée par l'UE, passe son temps et dépense notre argent à comptabiliser les accidents. Elle a mené une enquête dans 27 pays d'Europe. Dès qu'un enfant s'écrase quelque part, les chiffres sont mis à jour. Dans son passionnant rapport, on apprend que l'on tombe très facilement en France (16e sur 27). Seuls les bouseux comme la Grèce (encore elle !), la Roumanie, la Lituanie, etc., font mieux, c'est-à-dire pire. Parmi les pays occidentaux de souche (en gros, ceux des premières vagues de la construction européenne), nous arrivons avant-derniers, devant l'Autriche.

Belle performance, quand on y songe, preuve de l'engagement européen de la France. Par leurs chutes mortelles, nos chérubins font vivre plusieurs centaines de fonctionnaires, de statisticiens, d'analystes, membres de l'ECSA ou correspondants de cet organisme dans chacun des pays étudiés. Mais ce n'est pas tout. Car on ne fait pas que compter. On compare les législations en matière de sécurité et l'on attribue des points (des étoiles) aux meilleurs (Pays-Bas, Suède). On réfléchit à des normes. Qu'y a-t-il de plus beau, de plus rassurant qu'une norme européenne ? Ainsi, l'ECSA constate que « seuls 16 pays ont instauré une loi nationale exigeant des modifications de l'environnement pour prévenir les chutes d'enfants depuis les fenêtres d'immeubles de plus d'un étage (par exemple, des dispositifs de sécurité pour fenêtre), mais pour plus de la moitié d'entre eux, cette loi ne s'applique qu'aux nouvelles constructions et aux rénovations ». Le message est clair, il faut sévir.

Il semblerait que des barreaux s'imposent. Une solution simple et radicale. Et plus économique, dans la plupart des cas, que le remplacement des fenêtres ou le montage de laides barrières en Plexiglas. Le secteur du bâtiment (1,5 million d'emplois) ne s'en portera que mieux, d'où retombées économiques, baisse du chômage, etc. Sans oublier qu'il n'y a pas que des enfants qui tombent des fenêtres, il y a aussi des chats, des pots de fleurs, des drogués, des traders ruinés, des maris cocus. Les risques sanitaires sont énormes. Avec des barreaux à toutes les fenêtres de France, on éradiquera le mal à la racine. Et ce sera d'une esthétique ! D'une uniformité toute républicaine !

Au fait, qui tombe le plus, filles ou garçons ? Jusqu'à un an, c'est kif-kif. Puis, quand ils grandissent, dans une entorse évidente à la parité, les garçons se mettent à passer par les fenêtres avec un taux trois fois plus élevé que les filles. Discrimination ! crieront certains. Machisme primaire ! Pour ne pas prêter le flanc à la critique, il serait bienvenu de jeter quelques filles supplémentaires. Et l'on en vient à lancer un appel solennel à tous ceux qui en ont à la maison. Ne soyez pas égoïstes. Ouvrez grandes vos fenêtres. Faites-les jouer à colin-maillard. Qu'on ne dise pas que la France manque de solidarité européenne ou qu'elle est un terrain fertile aux préjugés sexistes. Irréprochables, vous serez les Abraham des temps modernes.

IL ÉTAIT UNE FOIS LE PORNO (1)

Avant d'aller plus loin, vous certifiez être âgé(e) de plus de 18 ans. Vous cochez la case qui va bien (celle-là ☐) et vous déclarez que vous ne l'avez pas fait sous la contrainte (ici ☐). Si d'aventure vous étiez mineur(e), je vous prie de décrocher vos yeux de ce qui va suivre. Les lecteurs (lectrices) sensibles à des éléments de langage évoquant la sexualité réduite à son activité mécanique (et néanmoins excitante) doivent renoncer à toute curiosité malsaine et sauter directement à la page suivante. Dans le cas où de jeunes yeux innocents se posent par mégarde sur cette chronique sans avoir lu le préambule, je tiens à souligner que je rejette toute responsabilité sur mon éditeur.

Bite, bite, bite. Chatte, bite, bite. Ceci est un test.

Venons-en au porno. Comme vous le savez sans doute si vous êtes un mâle âgé entre 13 et

73 ans, le porno à papa est menacé d'extinction. Le sex-shop ou l'abonnement Canal + sont définitivement obsolètes, de même que ce bon vieux DVD du rayon « adultes ». Plus besoin non plus de télécharger du cul chez des inconnus en redoutant une MST pour son ordinateur, non, aujourd'hui on se branle en streaming sur Internet, en toute sécurité, sans cookies ni traces de sperme sur le disque dur, gratuitement et sans sortir de chez soi, voire de son bureau de la Défense, sur des vidéos tournées par notre voisin de palier ou piratées sur ces mêmes DVD ou d'anciennes VHS toutes collantes de notre enfance et classées désormais sous la rubrique « vintage ». Sur des sites dont vous connaissez les noms si vous êtes un mâle entre 13 et 73 ans, l'offre est pléthorique. On y trouve toutes les tendances, y compris un hommage subtil à la RATP : *Blonde salope se fait mettre dans un bus* — moyen-métrage de 35 minutes ayant généré 22 millions de visites ; à titre de comparaison, le clip le plus populaire de Johnny sur YouTube plafonne à 6 millions. On y apprécie également le verbe succinct : *Gros Cul anal Brésil,* titre d'une vidéo où tout est dit avec un laconisme stupéfiant, me laissant rêveur comme après un haïku réussi (276 000 vues en moins d'une semaine). Comme l'air qu'on respire, comme la liberté de penser dans sa tête, le porno est devenu une commodité sympathiquement accessible à tout le monde, sans distinction d'origine, de race et

de religion. Pour tout dire, un affranchissement universel. Nos illustres aïeux qui ont fait Mai 68 et la liberté sexuelle doivent être fiers de nous dans leurs maisons de retraite.

Conséquence immédiate : le porno connaît sa plus grave crise financière depuis 1929, comme on dit. Les bénéfices des studios auraient chuté de 50 % en quatre ans. Les cachets des plus précaires s'en ressentent : d'après le producteur Travis Nestor, les revenus ont baissé de 30 % pour les actrices et de 40 % pour les acteurs, à scène hard équivalente. Ali Joone, le fondateur de Digital Playground, un des cinq plus gros producteurs des États-Unis, se désole de voir que l'industrie fabrique aujourd'hui deux à trois fois moins de films par an qu'en 2004 — une maigrichonne production de 200 films par semaine. Une sidérurgie du porno se profile à l'horizon. Comment recyclera-t-on Katsuni, John B. Root et Roberto Malone (alias DSK dans la dernière production Colmax) ? En plus d'alerter Montebourg, où cela risque-t-il de conduire notre civilisation ?

Je vous le dirai la semaine prochaine. En sus des mots « bite » et « Montebourg », vous pourrez y lire d'autres termes cochons écrits en toutes lettres.

IL ÉTAIT UNE FOIS LE PORNO (2)

Résumé de l'épisode précédent. Toto est seul à la maison et il a envie de mater un film. Il hésite. *Chérie, j'ai enculé la voisine* le tenterait bien (il a lu une bonne critique). C'est une des meilleures ventes au catalogue Colmax, avec Aleana Koxxx dans le rôle-titre. En téléchargement, le DVD est à 14,99 euros. Toto est perplexe : soudain, ça lui paraît cher. Non seulement ça prendra du temps, alors qu'il est déjà en érex et qu'il n'a pas toute la soirée, mais en plus il faudra stocker un gros fichier sur l'ordinateur familial dont se sert sa fille pour préparer un exposé sur les baleines bleues. C'est risqué. Désemparé, il va lorgner du côté du câble. Pour 4,99 euros en moyenne, il peut s'abonner à une chaîne comme XXL ou se payer une vidéo à la demande sur Hustler TV. Toto aura un son « comme au cinéma » et une image en super haute définition (grâce à quoi il aura une chance d'apercevoir clitoris, son acteur préféré). Mais comment être sûr que le film lui plaira ? Pendant qu'il hésite, comble de malchance, Toto vient de s'apercevoir que la CSG a fait un bond sur sa fiche de paie et que sa banque prévoit un découvert par temps de crise. Aïe. Plus question de dépenser pour de la branlette. Toto se découvre radin. Il se précipite alors vers un site de streaming gratuit, où plusieurs centaines de milliers de scènes hard sont en visionnage immédiat, sans inscription aucune. C'est magique ! Pour zéro euro, Toto se regarde un *Hôpital gros nichons* (un peu piraté, mais il y a des urgences où l'on se fout des droits d'auteur) : Toto est heureux.

Résultat, l'industrie du porno perd des clients comme une baignoire qui se vide. Internet est en train de lui piquer tous ses branleurs payeurs. C'est paradoxal. Car le porno a toujours été un des moteurs de l'innovation, investissant massivement dans les nouvelles technologies et contribuant à leur émergence. Dès l'apparition de la photo, que photographie-t-on pour les nigauds ? Parmi les pionniers du cinéma muet : le porno. La télé cryptée ? Le Minitel ? La 3D ? L'immersion totale ? Le porno est encore là, aux premières loges, à la pointe. En étant les premiers à numériser massivement leur production, les studios de porno ont formidablement contribué à l'essor de l'Internet. Et voilà que le Frankenstein numérique se retourne contre eux, mord la main qui l'a nourri ! Incroyable : en 2009, le flegmatique et increvable Larry Flynt lance même un appel au secours. Il n'y a pas que de la provocation dans la lettre qu'il envoie au Congrès demandant un plan d'urgence pour le porno comme pour l'automobile. C'est un aveu d'échec. Pis, d'impuissance. Le patron de *Hustler* sent bien qu'il s'est retrouvé à la place du capitaliste de la fameuse citation de Lénine — « Ils nous vendront la corde pour les pendre. »

La position du pendu est inconfortable, certes, et même si certains ont une érection à cet instant ultime, il est naturel de vouloir s'en sortir. La première réponse des studios de porno a été l'attaque pour atteinte au copyright, dans la veine des grandes tentatives hollywoodiennes destinées à restreindre l'accès aux sites de téléchargement. Cette voie légale est étroite. Les internautes se rebiffent. Ils serrent les fesses. Ils cachent le lubrifiant. C'est ainsi que l'Acta — l'Anti-Counterfeiting Trade Agreement —, véritable cheval de Troie de l'industrie, vient d'être torpillé par le Parlement européen au début de l'été.

La deuxième réponse des studios est plus maligne. Je vous en dirai plus la semaine prochaine, et l'on parlera de Thierry Roland, c'est promis.

IL ÉTAIT UNE FOIS LE PORNO (3)

Dans les deux épisodes précédents, chers cochons, chères cochonnes, nous avons vu en quoi Lénine avait prophétisé la fin du porno (je résume en allant à l'essentiel). Et nous étions restés sur la réponse que les producteurs de X allaient mettre en branle (pardonnez-moi cette facilité) pour arrêter l'hémorragie du streaming.

Tout se base sur la stratégie dite « de Cocteau », d'après sa célèbre citation : « Puisque ces mystères me dépassent, feignons d'en être l'organisateur. » Certains ont conclu des partenariats avec des sites de streaming et leur fournissent plus ou moins discrètement du contenu tronqué dans l'espoir de se faire cliquer dessus par l'internaute impatient de savoir comment se termine la scène 3 des *Beurettes de ma cité (vas-y, sors ta teub)*. D'autres cassent leur tirelire et parasitent les sites de streaming avec des bandeaux publicitaires et des pop-up en se disant que, la démangeaison sexuelle venant en matant, il y en aurait bien dans le tas qui n'auront pas assez des 13 000 heures de cul gratuites que propose un YouPorn, et qui iront investir leurs 20 euros par mois dans un abonnement premium sur un site « de qualité HD » comme M. Anal — très joli nom, mais la quantité n'y est pas : une seule maigre vidéo est ajoutée par semaine (les lundis). On se demande combien de clients sont tentés. Autant vendre de l'air en boîte aux habitants des côtes bretonnes.

Les sites de streaming ne sont pas neuneus. Ils ont diversifié leurs revenus. Non seulement ils récupèrent la pub des studios, mais ils proposent aussi des abonnements premium, c'est-à-dire sans publicité — ce qui prouve au passage qu'une publicité de cul reste une intrusion désagréable même pour ceux qui viennent en chercher. Pour ne rien gâcher, compte tenu de leur fréquentation exponentielle, ils arrivent à attirer d'autres annonceurs. L'évolution est encore timide, mais on y croise des disques durs (stocker des vidéos prend de la place), des jeux vidéo soft, des méthodes pour maigrir, des sites de rencontres et les inévitables tripots de poker. Le ministère de la Santé devrait s'y intéresser pour y placer une de ses nombreuses campagnes de sensibilisation contre les MST : ce serait astucieux et d'un impact plus ciblé que les campagnes d'affichage ; le buzz serait garanti.

Pauvres créateurs de contenu porno ! De vilains affairistes leur ont piqué leurs technologies, leurs idées, leurs images et leur argent. Certes, le cadavre bande encore, mais pour combien de temps ? Et comment en est-on arrivé là ? C'est simple : par manque de talent. Si rien ne ressemble plus à une séquence porno qu'une autre séquence porno, pour paraphraser Thierry Roland, si l'usager (et l'usagère) ne fait pas la différence entre une production Colmax et les prouesses de votre voisin avec sa webcam, c'est que l'industrie est au fond du trou rose et qu'il lui faut d'urgence un saut créatif. Cela passe par la réalisation, la photo, la direction d'acteurs. Mais avant tout, par une bonne histoire. Mais oui. Une bonne histoire de bites et de chattes. C'est le b.a.-ba. Car le porno n'est rien d'autre qu'un conte pour les grands enfants que nous sommes. Pour être véritablement efficace et ne pas lasser, j'ajouterai qu'il lui manque l'indispensable ingrédient d'un conte réussi, à savoir un véritable *méchant*.

Dramatiser la frénésie de l'accouplement, y mettre un enjeu — beau programme. En ces temps de vacances propices à la réflexion innovante, c'est un appel à la mobilisation de tous les esprits que je lance.

MAIGRIR EN ÉTÉ

Ce papier intéressera tous ceux qui sont encore à la plage et qui, regardant leur compagne en maillot (ou se jaugeant eux-mêmes objectivement dans le reflet d'une douche matinale), sont déçus de découvrir un corps portant lourd son bout de gras, au ventre, aux cuisses et ailleurs, et constatent, avec lassitude et fatalisme, qu'ils ont encore perdu ce combat contre les kilos qu'ils avaient pourtant si bien entamé au début du printemps, guidés qu'ils étaient par les photos alléchantes de la presse féminine et les campagnes de sensibilisation contre l'obésité.

Il se pourrait qu'un de ces losers occupe ses après-midi de végétation boboïdo-estivale à parcourir *Le Monde* et qu'il s'exclame, médusé, après une dizaine de minutes, en le tenant par la tranche : « Chérie, j'ai déjà fini le journal ! » Car il se trouve qu'en été nos quotidiens nationaux maigrissent effroyablement, eux, prenant des allures de feuille de chou liposucée, se faisant battre en longueur (et souvent en intérêt) par un prospectus municipal de Trifouillis-les-Gorets. Juste un exemple : *Le Monde* du mardi 7 août ne pèse que 24 petites pages, dont 4, appelées pompeusement « Cahier Londres 2012 », sont consacrées aux JO.

Ne reculant devant aucune dépense, je me suis procuré le *Times* daté du même jour et j'ai comparé. Au poids, déjà, nous ne jouons plus dans la même catégorie : l'anglais est épais de 64 pages. Contrairement à l'idée reçue, la proportion de publicité y est comparable — 11 pages (17 % du total) au *Times* contre 3 pages (13 %) au *Monde*. Le sport, dopé à la finale du 100 mètres, explose sur 26 pages. S'extirpant tant bien que mal de cette overdose, on parvient à additionner les pages contenant des informations « utiles », internationales et nationales, autres que sportives. Verdict : le *Times* écrase *Le Monde*, 27 pages à 17. Je ne suis pas allé jusqu'à compter le nombre de mots. L'été n'étant pas encore terminé, c'est une option que je me réserve pour les jours de disette intellectuelle.

Mais peu importe la quantité pourvu qu'on ait l'ivresse, voudrait-on croire. Sur ce plan-là, force est de constater l'extrême pauvreté du mardi 7 août. À part une enquête sur les milices chabiha en Syrie et un microdossier sur la stratégie chinoise en Afrique (dans les deux cas, une grande photo, occupant entre un tiers et la moitié d'une page, permet de créer l'illusion du volume), les articles n'ont que la peau sur les os, quand ce ne sont pas tout simplement des reprises de dépêches AFP et Reuters. Et, comme on doit meubler, une dépêche peut être copiée-collée en changeant l'ordre des mots (un surfeur estropié par un requin, annoncé en page 6 dans la rubrique « Planète », est repris en page 8 dans la colonne « Faits divers »).

C'est tout ? Non, pas tout à fait. Trois pages sont réservées aux fameuses séries de l'été, maladie de la presse française, où l'on blablate sur tout et sur rien, histoire de créer du vent avec « d'autres vies que les nôtres » (titre de l'une des séries). Le mardi 7 août, on braquera le projecteur sur :
1. une enseignante ;
2. les villes de Sceaux, d'Avallon et de Saint-Pierre-des-Corps pendant la campagne électorale ;
3. une sport-fiction de Jean-Christophe Rufin.

Cerise sur ce gâteau sec à zéro calories, le regard de Plantu, où notre moraliste se paye le luxe de mettre sur le même plan l'étrange gimmick en forme de signe de croix qu'affectionne Usain Bolt et le bonnet de bain burqa-compatible dont a été affublée la judoka saoudienne. Quand l'égalitarisme confine au crétinisme. Mais cela est une autre histoire.

AUTRUCHE THÉRAPIE

Suite au classement désastreux des universités françaises au grand palmarès dit « de Shanghai » des 500 meilleures universités du monde, afin de faire taire la polémique nauséabonde quant à notre incompétence académique, le ministère de l'Enseignement supérieur tient à mettre quelques points sur les *i* :

1. Nous ne sommes pas derniers. Sur 47 pays analysés, nous terminons à la 8ᵉ place. Nous faisons beaucoup mieux que l'Azerbaïdjan, la Bosnie-Herzégovine ou l'Ukraine, et nous sommes à égalité avec la Suède — pan ! dans la gueule à ces métèques qui nous écrasent à l'Eurovision.

2. Le fait que l'on ait baissé de trois places par rapport à 2009 n'est pas pertinent et ne suggère en rien une remise en question. Laissons les chiens aboyer et occupons-nous de passer à Pôle emploi, sans nous presser, conscients que nous sommes de notre beauté intérieure. Allons-nous nous soumettre à un diktat venu de Chine qui confirme la prétendue excellence des universités américaines (53 universités classées dans les 100 premières) ?... Jamais !... Geneviève Fioraso, notre guide et ministre, l'a excellemment formulé : ce classement « ne saurait être un outil de pilotage de la politique » d'un grand pays comme la France.

3. Très peu de nos très grandes, très mirifiques grandes écoles sont présentes au classement. Polytechnique est 350e, les Mines sont 450e. On croit rêver. Ni Centrale, ni les Ponts et Chaussées, ni Saint-Cyr n'y figurent. Il n'y a rien à ajouter : cette absence béante permet de démontrer immédiatement l'inanité de cette tour de Babel, sa malhonnêteté intellectuelle. La 73e place minable qu'occupe notre temple du savoir, l'École normale supérieure, est une gifle qui se retournera contre l'assaillant. Car c'est trop gros. Les Français ne se laisseront pas berner. D'ailleurs, peut-on prêter une attention quelconque à un classement où l'ENA n'apparaît même pas ?

4. Au lieu de s'intéresser au nombre de jours de vacances, aux tickets-repas, à la mutuelle des chercheurs et au pot de fin d'études, les Chinois, fidèles à leur logique productiviste, ont compté le nombre de Prix Nobel parmi les profs et les anciens élèves, les articles publiés dans les revues *Science* et *Nature* ; ils ont mesuré la notoriété des chercheurs dans chaque discipline et le nombre de professeurs par étudiant. Aberrant ! Qu'est-ce que c'est que ces normes venues de l'étranger ? Et d'abord : voulons-nous des Harvard, Stanford ou Berkeley sur notre territoire ? Non, bien sûr. Plutôt crever que marcher à la baguette anglo-saxonne.

5. Il y a un malentendu dès le départ. Les universités françaises ne sont pas faites pour produire des chercheurs de haut vol et des Prix

142

Nobel. Nous laissons à d'autres cette course mercantiliste, pour nous pencher sur l'essentiel. Chez nous, qu'un étudiant en licence parvienne à boucler son stage d'été, c'est déjà une réussite. Nous n'avons pas à en rougir.

6. D'abord, « Shanghai » toi-même ! Chine-toques, doit-on rappeler ici le massacre de la place Tian'anmen ?... Ne nous leurrons pas. Cette histoire est en réalité une vaste entreprise de déstabilisation visant nos pôles d'excellence dans la perspective de la compétition globalisée. La date de publication choisie, à savoir le mardi 14 août, en plein grand sommeil estival et à la veille de la canicule, montre bien la volonté de perturber le cycle digestif des Français.

7. Citoyens, soyez plus fins que les ennemis de notre modèle social. Voyez : les Chinois sont plus nombreux à visiter la France que l'inverse. Quelle preuve supplémentaire voulez-vous de notre excellence ?

ÉLITE, J'ÉCRIS TON NOM

Richard Descoings, paix à son corps, sérénité à son membre, est mort. Mieux, les quarante jours de deuil ayant été largement dépassés, son âme ne furète plus parmi nous, son esprit ne flotte plus dans cette soupe qui sépare le visible de l'invisible. On peut dire qu'elle a terminé sa classe prépa pour postuler à un monde meilleur. On ne sait si elle a réussi ses examens, mais on peut se permettre de verser une pointe de moutarde sans risque de représailles spirites, pas tant sur Richard Descoings, paix à son corps, sérénité à son membre, que sur l'école qu'il a dirigée, où se fabriquent les élites à la française. D'ailleurs, la mode est à l'élite-bashing, et qui sommes-nous pour aller contre la mode?

Souvenez-vous, c'était début avril. On avait un directeur d'école mort, mais on aurait cru Martin Luther King. Sarkozy a fait vibrer les hommages posthumes, parlant de « tournant historique dans la prise de conscience en France de ce scandale que constitue la reproduction sociale des élites ». Pour Aubry, même topo : « Il a été celui qui a voulu, y compris dans une grande école, restaurer la promesse républicaine. » Je suppose qu'il y a déjà un amphi qui porte son nom, et bientôt une avenue. Qu'a fait cet homme de chair et d'os pour être à ce point déifié ?... Un, il a imposé un quota de zonards dans chaque promotion. Deux, il a supprimé une épreuve de culture générale. Voilà qui relève de la bureaucratie des organisations et ne mériterait pas qu'on s'y attarde, pas plus que sur un débouchage de toilettes municipales. Pourtant, on en a fait un symbole, un cas d'école de discrimination positive, provoquant un débat aussi vif que ridicule entre défenseurs des traditions (souvent de droite) et réparateurs d'ascenseurs sociaux (souvent de gauche).

Ridicule, parce que Sciences-Po n'est une école de l'élite que dans l'imagination étriquée des hauts fonctionnaires et des parents arrivistes, craintifs pour leur progéniture. Si l'on exclut les frais de scolarité de 9 800 euros par an, effectivement élitistes, ni la sélection ni l'enseignement ne peuvent être qualifiés d'élitistes si l'on veut bien se pencher sur le résultat, à savoir ce qui sort de l'usine à gaz — les diplômés, ceux qui sont aux manettes politiques depuis tant d'années, et, *in fine,* la manière dont ils ont dirigé, façonné la France. La dette est sortie de Sciences-Po. La gouvernance par réseaux d'influence est sortie de Sciences-Po. L'agonie du tissu industriel, les écarts de salaires dans les entreprises entre patrons et simples mortels, la mainmise de la distribution sur le pouvoir d'achat, tout cela est sorti de Sciences-Po. Misère ! Jacques Chirac, Ségolène Royal et Jacques Attali sont sortis de Sciences-Po.

Sciences-Po, école de l'incompétence arrogante ? Oui, mais pas seulement. Prenez notre journalisme, autre débouché de masse pour les jeunes diplômés. Il suffit d'écouter la télé, la radio, de feuilleter *Le Monde* ou notre presse régionale pour se rendre compte que c'est aussi une école du copier-coller de la dépêche AFP, que le cliché est érigé en statue du Commandeur, que la non-vérification des sources est une norme, sans oublier la culture de clan, le voyeurisme, le nombrilisme franchouillard. Sciences-Po est l'école de la carpette attitude et de la platitude assumée.

L'élite véritable existe dans l'ombre. Les Penninghen, les petits rats de l'Opéra de Paris ou les diplômés de l'école Boulle en sont. Tous ceux qui créent, entreprennent, réparent. Tous ceux qui survivent malgré l'existence de Sciences-Po.

LE GHETTO DE LA PARALYMPIE

Cette fois-ci, il est bel et bien terminé, l'étalage musculaire de l'été de tous les sports : les Jeux paralympiques se sont achevés dans la bonne humeur factice du contentement de soi. Aucun paraplégique ne s'y est noyé, malheureusement, aucun fauteuil roulant ne s'y est retourné en tentant de marquer un panier, tout est calme et beauté au pays des Bisounours testostéronés. La vie leur a arraché une patte ou deux, certains ont les yeux crevés, d'autres sont tombés sur la tête, mais ils ne perdent pas courage et la parade des amochés continue, dans la joie des médailles gagnées, classées par pays comme il se doit, car même ici le cocorico nationaliste a besoin de se remplumer.

Entendez-moi bien : qu'un handicapé fasse du sport de haut niveau au lieu de jouer de la guitare ou de bouquiner est un droit individuel imprescriptible. Mais que toute la planète communie autour de pseudo-exploits de pseudo-athlètes dans un pseudo-événement mondial pour nous donner une belle couche de bonne conscience tout en permettant à quelque marchandise (Decathlon, Adidas…) d'y apposer son logo est un phénomène digne de figurer au premier rang de nos vraies hypocrisies et religions nouvelles.

Il n'a pas de jambes, mais il pédale, nage, court ou saute aussi bien que celui qui en a deux : n'est-ce pas un bel exemple de la gagne-attitude, une leçon pour nous qui sommes englués dans nos pensées défaitistes, qui déprimons quand la balance nous reproche ce kilo de trop, qui nous plaignons devant un recommandé avec injonction de payer ? Eh bien, pas vraiment. Courir en prothèses quand on en a les moyens physiques — et ces garçons, ces filles en ont bien davantage que votre serviteur — n'est pas plus courageux que marcher au quotidien avec son handicap. Le fait est que pour nous, les valides, s'extasier sur ces performances est une façon inconsciente de se rassurer, une manière de se dire que l'on a bien de la chance d'avoir encore nos pieds et nos mains, et que cette chance vaut bien un détour par Pôle emploi ou une autre médiocrité de la vie. Car c'est uniquement parce qu'ils ont des fonctions en moins que nous adorons les paralympiques. D'ailleurs voudrait-on réduire le handicapé à sa seule nature d'amputé, de paralysé ou d'aveugle, qu'on ne s'y prendrait pas autrement. Faisons-le courir, son handicap en évidence, souligné par une prothèse de haute voltige technologique, fier sous le regard attendri des médias ! Il est stupéfiant, quand on y songe, que la plupart des disciplines pour handicapés soient des parodies des épreuves où ont sué les athlètes valides il y a quelques jours à peine, lors des Jeux normaux, comme s'il fallait absolument une échelle de comparaison universelle qui gommerait symboliquement nos différences, leurs traumatismes.

Une seule discipline paralympique échappe à cette règle, le goalball. Ce sport d'équipe est conçu spécialement pour les aveugles, mais tout le monde peut y participer à condition de porter un bandeau spécial sur les yeux. Il se joue à trois par équipe et un gros ballon à clochettes que l'on lance en le faisant rouler vers de gigantesques buts adverses. Le marquage au sol est tactile et il est interdit de parler aux joueurs. Tous ceux qui ont déjà joué à colin-maillard comprendront la difficulté technique de l'exercice. Comme de bien entendu, personne n'a songé à introduire le goalball aux Jeux normaux. Pensez donc ! Non seulement les aveugles, à l'oreille surentraînée, battraient les valides à la loyale, mais on perdrait une occasion d'avoir bonne conscience en nous mirant dans le ghetto de la paralympie.

RICHE CON DE GAUCHE

La semaine dernière a été excellente pour le riche con de gauche. Son judicieux placement dans la presse a fini par porter ses fruits. Le journal de gauche qu'il s'est offert avec ses modestes ressources de riche con de gauche a créé le buzz. Superbe opération ! Voilà le riche con de gauche rassuré. Ils se sont enfin retroussé les manches, a-t-il pensé, tout sourire, en découvrant la une du lundi matin[1]. Le soir, sur une chaîne télé, le riche con de gauche s'est pavané : « Quelle est ma responsabilité en tant qu'actionnaire ? C'est la responsabilité du business. De ce point de vue-là, je ne peux que saluer une opération marketing très réussie. » Il resplendissait, le riche con de gauche, il était fier de sa pouliche.

Faut dire qu'il commençait à douter. L'élection présidentielle est un moment de tension pour le riche con de gauche. Qu'adviendra-t-il de son journal ? Sarkozy disparu des écrans radars, son investissement saura-t-il rebondir sur de nouveaux sujets ? On pouvait craindre l'enlisement dans le ronron et, fatalement, une baisse des ventes. Sylvain Bourmeau, directeur adjoint

---

1. Unes de *Libération* : le 10 septembre 2012, « Casse-toi, riche con ! » sur la photo de Bernard Arnault, suivie, le 11 septembre 2012, par « Bernard, si tu reviens, on annule tout ! ».

de la rédaction, a brillamment relevé le défi. Il fallait y penser : Sarkozy s'en est allé, mais sa parole est éternelle. Détourner deux citations de l'ex-régime sur deux unes consécutives, employer la vulgarité du passé pour faire tilter le Pavlov bas de gamme qui sommeille en nous, c'est ainsi que se conçoit *Libération* aujourd'hui.

Pour le riche con de gauche, le buzz, c'est comme le journalisme, en mieux car plus rapide, donc plus rentable. Un bon titre doit arrêter le regard, comme un paquet de corn flakes, c'est ce qu'on lui a appris pendant son MBA à l'université de New York. Provoquer un débat, si possible houleux, et une plainte — voilà le gros lot. Satisfaire au passage des annonceurs prestigieux, c'est à cela que sert un journal de gauche aujourd'hui. En « sponsorisant » involontairement l'événement, YSL a réalisé une campagne de publicité dont l'impact aura été exceptionnel. Ce que Bernard Arnault y a laissé comme plumes est récupéré par d'autres hommes d'affaires, ainsi va la vie, et le riche con de gauche hausse les épaules, fataliste et satisfait.

Que par la même occasion notre grand quotidien montre un visage lourdingue, simpliste, racoleur, populiste, grandiloquent (l'édito de Nicolas Demorand dégoupille un « Berezina », un « Varennes »), nationaliste et donneur de leçons ne perturbe en rien le riche con de gauche. Que Sylvain Bourmeau donne dans *Le Père Duchesne* ne change pas son optimisme ni la gestion de son portefeuille, foutre. Qu'au lieu de pousser l'enquête sur Bernard Arnault, le journal tombe dans l'invective digne de la *Pravda* des années 1930, quand on désignait nommément les ennemis du peuple, ne fait pas lever le sourcil au riche con de gauche. Que, ce faisant, il facilite le discours de victimisation de Bernard Arnault et consorts ne le gêne pas non plus. Le nez dans le bizness, l'actionnaire se moque de ces bagatelles.

Il y a du Louis Philippe d'Orléans, dit Philippe Égalité, dans notre riche con de gauche. Je prie le ciel qu'il ne finisse pas raccourci, foutre. Car, au-delà de la polémique, cette opération marketing de *Libé* dit des choses sur la France. Vous entendez ? Ah ! ça ira, ça ira, ça ira, Quand l'aristocrate protestera, Le bon citoyen au nez lui rira, Sans avoir l'âme troublée, Toujours le plus fort sera.

VISEZ LE BORD

Silence, braves gens, l'Académie de médecine veille sur vous. S'inquiétant du stress que provoque le bruit (de la rue, des voisins), l'Académie propose de créer une certification acoustique des logements, au même titre qu'il existe déjà des mesures de plomb, d'amiante, d'énergie. Le comptage des termites ne suffit plus. L'Académie frémit à l'idée que des « risques acoustiques » se transforment sournoisement en risques sanitaires. Avec pour résultat des personnes déprimées, malades. Une voisine qui simule fort, une école et sa cour de récréation à cœur ouvert, un marteau piqueur grande gueule, et, ça y est, la vie ne vaut plus la peine d'être vécue, on se met à fumer nerveusement, on sombre dans l'alcool. D'après l'Ademe, « l'exposition au bruit est responsable de 11 % des accidents du travail, de 15 % des journées de travail perdues, de 20 % des internements psychiatriques ». Diable. Mieux vaut prévenir que guérir, clame l'Académie. Attribuons des notes aux logements. Construisons des normes. Plutôt que de supprimer la nuisance, ajoutons encore une couche de paperasserie pour nous rassurer. Le voisin aboie, l'Académie passe.

Les adorateurs de la gnose bureaucratique seront ravis d'apprendre qu'il existe déjà un Conseil national du bruit (CNB), fondé en 2002 — dix ans d'existence ! —, instance qui crée des « groupes de travail sur les difficultés d'application de la réglementation sur les bruits ». Vaste programme. On se demande à quoi ça sert — autant essayer d'attraper un écho. Il est épaulé dans sa lourde tâche par les « Pôles bruit », amibes parasitaires dispersées au sein des agences régionales de santé (ARS). Tous ces protozoaires rédigent et publient des rapports, rédigent et publient, rédigent et publient. La machinerie shadok n'empêche pas le bus de klaxonner sous votre fenêtre. Sans même parler du bruit institutionnalisé contre lequel il serait vain de protester : la Fête de la musique, les Nuits blanches, la Gay Pride, le bal du 14 Juillet…

Le bruit et l'odeur, dirait Chirac. Ont-ils seulement pensé aux odeurs, ces messieurs-dames de l'Académie ? Une sacrée nuisance, les odeurs. La poissonnerie au coin de la rue est une source de « risque olfactif » considérable. Sans parler de voisins belges dont la potée aux choux de Bruxelles peut devenir envahissante. Le beauf et son barbecue sur le balcon. La concierge qui a mangé de l'ail. Les poubelles qui débordent un dimanche soir. C'est qu'on devient vite hypersensibles, nous, les cocoonés du principe de précaution. Vite, l'Académie, une certification « odeurs » !

Et les laideurs que l'on voit par la fenêtre ? Le clodo somnolant sur la grille du métro. Les affiches électorales collées partout. Une femme disgracieuse. Un flic. Cette HLM toute sinistre que j'aperçois en me penchant à gauche. Autant de sensations désagréables qui rejailliront sur ma santé, mon équilibre, immanquablement, comme un tabagisme passif. Au secours, l'Académie, faites quelque chose ! Les oreilles ne sont pas les seules portes par où s'engouffre la maladie. Ne me laissez pas dépérir par le nez, par les yeux !

La nuisance fonctionne aussi dans l'autre sens. Après avoir emménagé dans son studio du XXe, mon ami Géraud a trouvé ce mot épinglé à sa porte : « Pourriez-vous SVP éviter de pisser dans l'eau au milieu de la cuvette ? Visez le bord.

J'entends tout. » Le voisin en question habitait deux étages au-dessous, mais son oreille surentraînée et vigilante captait le moindre pissou. Impossible de vivre sereinement après ça. Géraud a fini par déménager. Mieux vaut dix marteaux piqueurs que le silence assourdissant du voisin.

GLISSADE EUROPÉENNE

Je vais renégocier le traité européen.

Je vais renégocier le traité européen en y incluant un pacte de croissance.

Je vais renégocier le traité européen en y incluant un pacte de croissance qui sera en annexe pour qu'on le voie mieux.

Je vais renégocier le traité européen en y incluant un pacte de croissance qui sera en annexe pour qu'on le voie mieux avec des lunettes grossissantes car il sera imprimé en caractères de contrat d'assurance.

Je vais renégocier le traité européen en y incluant un pacte de croissance qui sera en annexe pour qu'on le voie mieux avec des lunettes grossissantes car il sera imprimé en caractères de contrat d'assurance quand on sera parvenu sans s'endormir à la page 138 du traité sur la rigueur budgétaire.

Je vais renégocier le traité européen en y incluant un pacte de croissance qui sera en annexe

pour qu'on le voie mieux avec des lunettes grossissantes car il sera imprimé en caractères de contrat
d'assurance quand on sera parvenu sans s'endormir
à la page 138 du traité sur la rigueur budgétaire
repris à la virgule près sur la copie Sarkozy-Merkel (poil au teckel) mais dont la philosophie est
bousculée par le susnommé pacte de croissance.

Je vais renégocier le traité européen en y
incluant un pacte de croissance qui sera en annexe
pour qu'on le voie mieux avec des lunettes grossissantes car il sera imprimé en caractères de contrat
d'assurance quand on sera parvenu sans s'endormir
à la page 138 du traité sur la rigueur budgétaire
repris à la virgule près sur la copie Sarkozy-Merkel (poil au Sahel) mais dont la philosophie est
bousculée par le susnommé pacte de croissance sans
que cela ne change rien à la realpolitik de la rigueur
puisque celle-ci est implicitement prévue dans
le texte de mon beurk-prédécesseur dont la France
s'est débarrassée et bon vent.

Je vais renégocier le traité européen en y
incluant un pacte de croissance qui sera en annexe
pour qu'on le voie mieux avec des lunettes grossissantes car il sera imprimé en caractères de
contrat d'assurance quand on sera parvenu sans
s'endormir à la page 138 du traité sur la rigueur
budgétaire repris à la virgule près sur la copie
Sarkozy-Merkel (poil à Hegel) mais dont la philosophie est bousculée par le susnommé pacte
de croissance, sans que cela ne change rien à la
realpolitik de la rigueur, puisque celle-ci est

implicitement prévue dans le texte de mon pouah-prédécesseur dont la France s'est débarrassée et bon vent tandis que moi je suis dans la réalité de ce mois d'octobre quand bien même j'ai pris les Français pour des cons en avril et en mai, ils l'ont bien cherché les pedzouilles, ils n'avaient qu'à pas croire aux citrouilles devenant carrosses de chez PSA, ils savaient bien que j'y étais allé à l'esbroufe pendant la campagne, qu'ils ne viennent pas se plaindre maintenant parce qu'ils n'ont pas su lire entre les lignes d'un candidat, hein! tous ceux dont le QI dépassait la moyenne Candeloro se doutaient bien que l'on allait capituler, impossible de gagner un peu de temps avec un tour de passe-passe genre « Grenelle de Chépaquoi » où l'on aurait consulté les partenaires sociaux (ce qui peut prendre plusieurs quinquennats) car ils nous auraient fichus dehors avec la Grèce, nous, la France, sans qui il n'est point d'Europe possible, maintenant l'opposition a beau jeu de bramer « renoncement! renoncement! », mais j'aimerais les y voir, ils auraient fait pareil puisque c'est leur traité *in the first place,* ils n'auraient pas levé le petit doigt, comme moi, alors je ne vois pas le problème.

L'ANGLAIS, CE CHEVAL DE TROIE

Dans le cadre de la réforme de l'Éducation nationale, confrontés que nous sommes à la fuite des riches et des entrepreneurs à l'étranger, saignée qui prend des proportions économiques d'une part, et qui nous fout la honte planétaire d'autre part, il serait bienvenu de nous interroger sur la place exorbitante qu'occupe l'anglais dans notre système éducatif.

Si l'on exclut la Belgique et la Suisse, deux pays éminemment francophones qui attirent nos fuyards en priorité, une analyse statistique montrerait, en effet, que la plupart des autres émigrés se dirigent vers les pays anglophones, où ces parasites envisagent de se la couler douce en se vautrant dans la consommation de masse et le lancement de start-up, au lieu de rester bien sagement à Noisy-le-Sec tout en payant leur CSG sur le demi de bière, comme le font les vrais patriotes. Malgré l'insolente santé de l'ogre allemand, la communauté française de Berlin ne dépasse pas 15 000 âmes perdues, tandis que celle de Londres se chiffre en plusieurs dizaines de milliers de renégats (78 000 en 2011 d'après le British Office for National Statistics). Ce qui prouve bien que l'on émigre plus facilement vers les contrées dont on maîtrise le dialecte, cet anglais de pacotille que l'école républicaine a enseigné à nos élites, leur donnant malencontreusement l'outil indispensable à leur future haute trahison.

Comment limiter les dégâts et tâcher d'inverser la tendance ? Ne tournons pas autour du pot : pour limiter les flux migratoires qui pénalisent notre justice fiscale, il faut supprimer l'enseignement de l'anglais, et ce dès le plus jeune âge. Qu'on arrête de nous bassiner avec le côté pseudo-utilitaire de cette langue ! Aujourd'hui, il est grand temps de considérer celui qui parle anglais comme un fuyard potentiel, une émanation de la cinquième colonne, un suppôt des forces rétrogrades de la mondialisation. Désapprendre l'anglais, voilà une belle ambition pour la prochaine génération ! Ne me dites pas que c'est impossible : on démonte bien des centrales nucléaires. S'il est dans nos cordes de supprimer les notes à l'école, on devrait être capables de neutraliser l'anglais, en le remplaçant avantageusement par des cours de morale civique et de handball. Dans ce combat, la France a des atouts. En Europe, nous sommes parmi les plus mauvais en anglais, et nous en sommes fiers. En 2008, la France a été classée à la 69ᵉ place sur 109 pays aux résultats du Toefl : c'est une bonne base à partir de laquelle on pourra régresser davantage. Dans sa clairvoyance, le grand Charles de Gaulle n'avait-il pas fait sienne cette boutade de Charles Quint : « On parle français aux hommes, italien aux femmes, allemand à son cheval, espagnol à Dieu. Mais qui a jamais entendu que l'on parle anglais ? »

Pour ce qui est de la Belgique et de la Suisse, l'option de les isoler entièrement par un mur de Berlin n'étant pas envisageable pour le moment à cause du traité de Schengen (que l'on pourrait toutefois renégocier habilement, comme on l'a fait avec le traité budgétaire européen), il ne faut pas hésiter à employer les mêmes méthodes linguistiques radicales. Coupons les ponts ! Effaçons le français ! Remplaçons-le progressivement par le patois niquetamère, déjà bien implanté dans nos zones de sécurité prioritaires. Ainsi modifiées, nos élites auraient les plus grandes difficultés pour se faire comprendre à Bruxelles ou à Genève, tout en partageant une communauté de langue avec la banlieue sinistrée : une belle avancée pour l'ascenseur social.

BIOGRAPHIE D'AVENIR

Naissance d'avenir. Gros câlin d'avenir. Caca d'avenir. Papouilles d'avenir. Gazouillis d'avenir. Petit-suisse banane d'avenir.

Dents de lait d'avenir. Pissou comme un grand aux WC d'avenir. Maternelle moyenne section d'avenir. Toboggan d'avenir. Gros bobo d'avenir.

Alphabet d'avenir.

B.a.-ba d'avenir. Nutella d'avenir. Spider-Man d'avenir. Catéchisme d'avenir. Pythagore d'avenir. Redoublement d'avenir. Poils au sexe d'avenir. Benjamin Biolay d'avenir.

Je speak l'english d'avenir. Branlette d'avenir. Révolte d'avenir. Première clope d'avenir. Fugue d'avenir. Chagrin d'amour d'avenir. Baccalauréat d'avenir. Fac de Nanterre d'avenir.

Boîte de nuit d'avenir. Whisky-soda d'avenir. Stroboscope d'avenir. Rencontre d'avenir. Yeux bleus d'avenir. Coup de foudre d'avenir. Coup de bite d'avenir. Chaude-pisse d'avenir. Pommade antibiotique à application locale d'avenir. Plan B d'avenir. Meetic d'avenir. Josette d'avenir. Râteau d'avenir. YouPorn d'avenir.

Rêve d'avenir. Ambition d'avenir. Réussite d'avenir. Napoléon d'avenir. Écrivain d'avenir. Steve Jobs d'avenir. Formation d'avenir. Stage d'été d'avenir. McDonald's d'avenir. Examen d'avenir. Diplôme d'avenir. Petit boulot d'avenir. Déménageur d'avenir. Halle aux chaussures d'avenir. Pôle emploi d'avenir. CV d'avenir. Emploi d'avenir. Préposé aux photocopies d'avenir. Transports en commun d'avenir. Ticket-repas d'avenir. CSG d'avenir. Déclaration de revenus d'avenir. Licenciement d'avenir. Chômage d'avenir. Déprime d'avenir. RSA d'avenir. Envie de s'en sortir d'avenir. Motivation d'avenir. Psychologie de gagneur d'avenir. La force du poignet d'avenir.

Re-emploi d'avenir.

Re-chômage d'avenir. Coup de blues d'avenir. Coup de chance d'avenir. Petite place d'avenir. Cravate d'avenir. CDD d'avenir. Ambiance salariée d'avenir. Travail en équipe d'avenir.

Prime de Noël d'avenir. Technicien de surface d'avenir.

Vacances d'avenir. Voyage dans la Creuse d'avenir.

Plateau de Millevaches d'avenir.

Bière pression d'avenir. Soleil éclatant d'avenir. BBQ d'avenir. Petit papillon se posant délicatement dans la paume d'avenir. Polar scandinave d'avenir.

Nostalgie d'enfance d'avenir. Roupillon d'avenir.

Conscience sociale d'avenir.

Attitude citoyenne d'avenir.

Vote utile d'avenir. Solidarité d'avenir. Abonnement au *Nouvel Obs* d'avenir. Carte au PS d'avenir. Opinions progressistes d'avenir. Indignation d'avenir. « On ne va pas se laisser faire » d'avenir. Camarades d'avenir. Métiers verts d'avenir. Disponibilité sociétale d'avenir. Bonne conscience d'avenir.

Peugeot d'avenir. Pavillon d'avenir. Noisy-le-Sec d'avenir. Crédit immobilier d'avenir. Ikea d'avenir. Petit rosier d'avenir. TF1 d'avenir. Chanson française d'avenir. *Les Experts* d'avenir. PSG-Marseille d'avenir. Bricolage d'avenir. Pouvoir d'achat d'avenir. Livret A d'avenir. Écran plat Samsung blanc design d'avenir. Garantie d'avenir. Dépannage d'avenir. Lave-linge d'avenir. Sèche-linge d'avenir.

Polo Lacoste d'avenir. « Tout Mozart sur un CD » d'avenir. Horoscope d'avenir. Assurance-vie d'avenir.

Télérama d'avenir. Ménopause d'avenir. Divorce d'avenir. Prozac d'avenir. Retraite d'avenir. Ennui d'avenir. Plombage qui saute d'avenir.

Club de bridge d'avenir.

Collection de timbres de Monaco d'avenir. Le Clézio d'avenir.

Mal de dos d'avenir. Carte Vitale d'avenir. Médecin d'avenir. Analyses d'avenir. Tumeur d'avenir. Chimio d'avenir. Incontinence d'avenir. Fol espoir d'avenir. Rechute d'avenir. Mort d'avenir. Cimetière d'avenir. Chrysanthèmes d'avenir. Regrets d'avenir. Oubli d'avenir.

ARTHUR LGBT RIMBAUD

Aujourd'hui, les manuels scolaires s'obstinent à passer sous silence l'orientation LGBT (lesbienne, gay, bi et trans) de certains personnages historiques ou auteurs, même quand elle explique une grande partie de leur œuvre, comme Rimbaud.
(Najat Vallaud-Belkacem,
ministre des Droits de la femme, entretien au magazine *Têtu,* 22 octobre 2012.)

Dans le cadre de la grande réforme de l'Éducation nationale, afin de suivre à la lettre les nouvelles avancées sociétales, il serait astucieux de réviser les cours de français en mettant en lumière certaines zones de l'immense poète LGBT qu'est Rimbaud. On pourrait prendre pour canevas intellectuel les grandes lignes suivantes.

Arthur Rimbaud est né en 1854 dans une famille hétéronormalisée, composée d'une mère de sexe féminin non transgenre très autoritaire et d'un père de sexe masculin non transgenre et militaire — bonjour le cadeau. Malgré ce cadre préformaté et quelque peu rétrograde (de type #UnPapaUneMaman), le jeune Arthur développe très tôt un don pour la poésie, terrain où peut enfin s'exprimer son droit à la différence. Ainsi, en 1871, dans sa célèbre « Lettre du voyant », il dénonce sa condition de poète subissant l'« ineffable torture où il a besoin de toute la foi, de toute la force surhumaine, où il devient entre tous le grand malade, le grand criminel, le grand maudit » — limpide allusion aux discriminations dont font l'objet les personnes à la sexualité non stéréotypée.

Toujours en 1871, il s'installe à Paris, où il cherche en vain à participer à la marche des fiertés LGBT ; ne la trouvant pas, il est contraint de se rabattre sur les dîners des « Vilains Bonshommes », où il sera courtisé par Verlaine. Le grand poète bi acceptera même de loger

Rimbaud chez lui malgré les protestations de sa femme, petite-bourgeoise d'un autre temps, vivant dans le moule de la famille coincée, tradi-catho-rigide.

Les deux amants partent ensuite pour Bruxelles, non pour échapper à une fiscalité confiscatoire, mais pour agir à leur modeste niveau par la pratique ambitieuse de la copulation intense sur la dépénalisation universelle de l'homosexualité et de la transidentité. De cette façon, ils militent comme ils peuvent pour faire reculer les préjugés réducteurs qui pèsent sur les personnes LGBT. On imagine toute la difficulté pour aborder ces questions à l'époque. Aussi, dans leur couple, tout n'est pas arc-en-ciel. Après un vif débat dont on peut supposer qu'il portait sur le thème délicat de l'homoparentalité, refusant le bien-vivre ensemble, Verlaine sort un pistolet et brutalise Rimbaud en lui tirant plusieurs balles, le laissant blessé, en proie à une légitime question : que faire en cas d'agression, de harcèlement et de discrimination ?

Victime de l'homophobie ambiante dans une société où aucune campagne de sensibilisation n'avait encore été ordonnée par les pouvoirs publics, pas au courant des aides que peuvent apporter les assoces, ne sachant comment défendre le fait qu'être homo, bi, lesbienne ou transgenre ne doit plus être un motif de moquerie ou d'insulte, Rimbaud abandonne la poésie et part à l'étranger, où il se livre au trafic d'armes (pas *smiley* du tout), à l'achat d'esclaves mineurs pour satisfaire des besoins sexuels personnels (moyennement *smiley*) et à l'écriture de lettres à sa maman (super *smiley* plus plus).

On terminera par l'étude de ces vers immortels : « Un soir, tu me sacras poète,/Blond laideron :/Descends ici que je te fouette/En mon giron. » On situera le giron sur une anatomie humaine. Développer en axant le propos sur la déconstruction des mythes autour de la sexualité dite « normale ».

PARITÉ AU FORCEPS

Comment lutter efficacement contre le sexisme qui s'immisce par le moindre petit laxisme dès que l'on a le dos tourné ? La bonne attitude, vous le savez comme moi, commence par une belle couche de « sensibilisation ». Il est assez piquant de constater aujourd'hui que nos gouvernants se l'auto-infligent avant de la réper-cuter sur nous autres, simples contribuables, appliquant à la lettre l'adage du poisson pourris-sant par la tête. Ainsi, à l'initiative du Premier ministre, une formation antisexiste a été mise en place pour les membres du gouvernement. La classe est animée par le gourou d'Osez le fémi-nisme, Caroline De Haas.

Ravi de sa première séance de quarante-cinq minutes, Stéphane Le Foll, ministre de l'Agriculture, précise, dans un entretien à *L'Express*, son action antisexiste à la tête du ministère : « J'ai tenté de promouvoir des femmes au maximum, bien que nos dossiers soient très techniques. » C'est beau comme de la paralympie. Qu'on se le dise : malgré les difficultés que l'on a pour trouver une femme qui ait le niveau, on prend sur soi, au ministère de l'Agriculture, et, dans un élan d'abnégation et de vertigineuse folie, on confie son précieux dossier à une représentante quelque peu dépassée, appartenant à ce sexe faiblard, allergique à la technicité. Le Foll développe sa pensée : « La composition d'un cabinet paritaire a donc été un objectif politique et pas une facilité. J'ai donc dû à la fois rechercher les meilleures compétences et, de manière très déterminée, identifier des profils féminins. » Héroïque Le Foll ! On n'aimerait pas être à sa place. Identifier les profils féminins compétents n'est pas donné à tout le monde. On se demande comment notre ministre a relevé ce défi hors du commun. Où est-il allé chercher ces perles rares ? Les a-t-il piquées à d'autres ministères ?

La parité au forceps est donc entrée dans nos mœurs politiques et modèles de gouvernance. Elle y fait bonne façade et remplace l'intérêt général tout en cultivant, en douce, un sexisme technocratique de bon aloi. Car pourquoi ne pourrait-il y avoir un cabinet ministériel avec *plus* de femmes que d'hommes? Parce qu'elles sont incompétentes, nous répond en filigrane Stéphane Le Foll. Parce que parité oblige. Parce que profils féminins. Parce qu'on vous répète que c'est déjà suffisamment galère de couper le gâteau en deux, alors aller au-delà? Vous êtes malade? Vous voulez notre mort? La dégénérescence du pays?... Avec la parité, tout est simple, tout est d'équerre au pays des cases à cocher.

Vous m'avez convaincu, monsieur Le Foll. Veuillez noter qu'en écrivant ce texte j'ai parfaitement respecté la parité des mots masculins et féminins. Il y a exactement 116 noms communs de genre masculin et 116 de genre féminin — allez-y, vérifiez. Sans me vanter, c'est ce que l'on appelle une attitude proactive intelligente vis-à-vis du sexisme, un parti pris que l'on aimerait rencontrer plus souvent. Dorénavant, si l'on me verse une subvention adéquate, je m'engage à respecter la parité dans chacun de mes textes. Ce n'est pas un mince travail — il a raison, Le Foll, d'où la subvention —, mais quel symbole! De la littérature française engagée, comme on en produisait à la belle époque de nos monstres sacrés. Imaginez Le Clézio, Ernaux condamnés à me suivre en me jalousant l'idée, car quel écrivain luminescent pourrait se payer le luxe d'être accusé de sexisme? Je suis convaincu que ce faisant je ferai avancer la juste cause au moins autant que les séances masturbatoires de Caroline De Haas.

UN BEAU SPECTACLE

Tranche de vie, vendredi soir, à la station Denfert-Rochereau. Je me pointe pour un aller-retour Robinson quand je suis happé par la foule des grands soirs, la queue au guichet et des préposés de la RATP en nombre, comme une couvée de poussins, tout de jaune vêtus, dans leur gilet fluo. Ça se bouscule au portillon, les bébés aboient, les parents stressent. Un groupe de touristes allemands avec de grosses valises sous les yeux gêne tout le monde. L'écran de contrôle est barré de Scotch, genre panne. En usager averti, je glisse mon regard sous la bande bicolore et je lis : tous les trains ont pour terminus Denfert.

Excusez-moi, je demande, c'est la grève ? Un préposé me regarde comme si j'étais un cancer : Ah non, qu'il me dit, ah non !

Désolé, fais-je, tout le monde peut se tromper. C'est parce que vous, du RER B, vous êtes toujours en grève les premiers, comme si vous étiez, en quelque sorte, les bœufs de la charrue. Vous êtes, ne le prenez pas mal, les Adam et Ève de la contestation syndicale. Adam et Ève, il en a entendu parler, il est flatté (je n'exclus pas qu'il les ait confondus avec Stone et Charden). C'est parce qu'il y a des travaux sur la ligne, qu'il m'explique avec le sourire. C'est pour mieux vous servir. Vous pouvez passer sans ticket, qu'il ajoute.

Enfin une bonne nouvelle. Je me rapproche du tourniquet pour constater qu'il faudrait au contraire que je sorte de la gare pour prendre une navette. C'est affiché sur un panneau. Je remarque un agrégat de préposés jaune fluo à portée de main. Naïvement, je leur demande confirmation. Ben oui, c'est marqué, on me fait. Merci, dis-je. À votre service, m'amabilise-t-on. Et pendant que je déchiffre les instructions du panneau, je les entends qui discutent entre eux. C'est dingue, dit l'un, on me pose sans arrêt la même question depuis que je suis en service. On se demande pourquoi on met des panneaux, dit l'autre. Peut-être y savent pas lire, ironise le premier. Les gens, y sont des assistés, ma parole, dit le deuxième. Ils ont besoin qu'on les prenne par la main. Carrément ! dit le premier. Y z'auraient mieux fait de me donner une augmentation au lieu de se faire chier avec des panneaux, remarque le deuxième avec bonhomie. Pour le résultat ! conclut le troisième, goguenard. Quel spectacle !

Le résultat est en effet un marais désopilant de gens excédés. Un troupeau d'usagers neuneus tente désespérément de retrouver le bon quai — ce sont ceux qui n'ont pas vu le panneau ou, pire, qui n'en ont pas tenu compte. Beaucoup d'étrangers perdus sans collier. Certains se trompent et prennent le bus pour Orly au lieu de la navette (très drôle). Et réciproquement (encore plus drôle — on imagine leur tête quand ils arrivent à Cité universitaire et qu'ils repartent en sens inverse,

la panique dans les yeux à l'idée de rater l'avion).
Là-dessus, un train venant du nord déverse son
chalut. Ce sont des centaines de figurants qui
participent maintenant à ce show improvisé, avec
une générosité dans l'interprétation digne de
l'Actors Studio. Et l'on dit que les Français n'ont
pas de talent !

Le spectacle se jouait à guichets fermés
jusqu'au 4 novembre. Sauf prolongation de
dernière minute, que l'on ne peut tout à fait
exclure compte tenu du succès populaire
rencontré, il fera relâche à l'heure où paraîtra ce
papier. Mon petit doigt me dit cependant
qu'avec un peu de patience on finira par tomber
dessus, à une autre station, à un autre moment.
Pas la peine de réserver.

L'ÉVANGILE SELON RAPPORT

Au commencement était le rapport. Le
rapport était avec l'homme d'État, et le rapport
était l'homme d'État. Il était au commencement
de l'action du gouvernement. Toutes choses ont
été faites par lui, et rien de ce qui a été fait n'a
été fait sans lui. En lui était la vie, et la vie
pulsait comme la TVA des citoyens.

Il y eut un homme envoyé du gouvernement : son nom était Gallois. Il vint pour servir

de gyrophare, pour rendre témoignage à la lumière, afin que tous crussent par lui. Cet homme, Gallois, était un saint homme : il reçut l'esprit à l'ENA et fut toute sa vie haut fonctionnaire devant l'Éternel. L'homme Gallois avait ceci de remarquable : il dirigea pendant onze ans l'entreprise de service public SNCF, arche de Noé de nos acquis sociaux, temple de la compétitivité porté par les citoyens dans leur cœur. Tous le soutenaient financièrement aux dépens de leur pouvoir d'achat en achetant leurs billets au tarif Prem's non échangeable, non remboursable — comme le rapport. L'homme Gallois fut également oracle et prophète d'EADS, constructeur, entre autres merveilles, de missiles et d'hélicoptères de guerre, œuvrant de la sorte au rayonnement de notre commerce extérieur et prestige militaire. Ainsi le service public fut-il allié au service des armes dans l'homme Gallois, par la très sage volonté du gouvernement, et la puissance unificatrice du rapport.

Précisons que le rapport fut déclaré consenti car il avait été réalisé entre personnes majeures. Le rapport se donna en public, de la main à la main, en présence de journalistes bienveillants issus de la presse accréditée. L'homme de gouvernement reçut le rapport de l'homme Gallois, mais il en connaissait déjà le contenu car, par sa rédaction même, le rapport prédisposait à l'omniscience.

Fondement de la gouvernance, le rapport fut plus fort que la Loi : il fut son avenir. Le rapport instruisit l'homme public, il fit évoluer la Loi dans le sens de la lumière et il sensibilisa le citoyen en lui graissant l'anus. Le rapport fut pédagogie suprême. Sans lui, les citoyens étaient sans phare, la bière sans TVA, le gouvernement sans levier, la démocratie sans slip, l'usine sans compétitivité. Aucune décision sensée ne pouvait être prise, l'humanité errait dans les ténèbres.

Racine de tout bulbe, bulbe de tout cheveu, nourriture de toute digestion, digestion de toute défécation, le rapport fut indispensable en amont de toute velléité de réflexion. Il guida la pensée ; mieux, il l'augura. Il fut le barreau de la chaise, le carreau de la fenêtre, le neurone de l'homme d'État ! Accessoirement, il pouvait aussi caler une armoire normande. Tel fut son incroyable pouvoir, qu'il nous a été donné d'observer.

Avant lui, tout était inertie et boue visqueuse. Avec lui, les forces du changement se mirent en mouvement. Pendant dix jours et dix nuits, on ne parla que de lui, on l'attendit, on l'espéra, on le redouta, puis on le lut, on l'analysa, on le pourlécha. Le reste de l'existence n'eut plus d'importance — le rapport était là, avec nous, il nous prit sous son aile. Le tunnel eut un bout, l'espoir surgit au coin de la rue, et si les oiseaux ne chantèrent pas tout de suite, c'est qu'ils ne comprirent rien au Crédit Impôt Recherche ou qu'ils gagnaient plus que 2,5 smic.

Ainsi voguâmes-nous au-dessus du vide, portés par le rapport de l'homme Gallois en attendant que nos mollets fébriles trouvassent un autre piédestal.

QU'ILS PLANTENT DE LA BRIOCHE

Cher petit péquenaud, producteur d'huile de palme !

C'est la France qui t'écrit, petit nigaud de couleur jaune ou noire, indonésien, malaisien, nigérian, ghanéen, ivoirien, la grande France des droits de l'homme, du bleu d'Auvergne au lait cru, de la motte de beurre guidant le peuple au-dessus de la ligne Maginot, la France des merveilles technologiques à énergie atomique (centrales, sous-marins) que l'on veut bien vendre à ton gouvernement, mais dont tu ne verras pas la couleur dans ta palmeraie, que tu as plantée, il faut l'avouer, dans le trou du cul de la planète, en bordure de la forêt primaire, où les hommes civilisés ne vont pas car on n'y trouve ni *L'Équipe* ni le Club Med, et qu'on est trop loin de l'île de Ré.

Nous sommes très inquiets, petit fripon. Je t'explique. Notre peuple, qui est beau et bon, a pris l'habitude de manger trop de Nutella. Tu ne connais pas cette pâte à tartiner car elle est trop chère pour ton budget de crève-misère, et tu as une sacrée chance ! Car cette onctueuse engeance est pleine d'huile de palme, ton huile de palme, elle-même saturée de graisses diverses qui se déposent dans les vaisseaux sanguins des Français, conduisant à de graves maladies cardio-vasculaires que tu ne connaîtras jamais, petit veinard, car ton espérance de vie est de vingt ans inférieure à la nôtre. Ces maladies nous coûtent cher, elles ponctionnent notre pouvoir d'achat — encore un terme que tu ne connais pas vraiment, pauvre biquet. Nos finances publiques en prennent un coup et il ne nous reste plus d'argent pour construire ronds-points et bites de trottoirs, tous ces totems sans lesquels notre brillante civilisation s'effondrerait.

La France, tu le sais, est grande et généreuse. C'est pourquoi il y a un autre aspect dans le Nutella qui révulse notre peuple. Tu as planté tes palmeraies au petit bonheur la chance, et, sans doute, tu n'as pas pensé à respecter les normes environnementales que l'on s'impose chez nous depuis une vingtaine d'années, depuis que l'on a reçu en nous l'esprit saint du développement durable. As-tu songé, petit monstre, à la biodiversité que tu détruisais ? Toute cette flore, cette faune — l'orang-outan, que nos enfants aiment regarder sur National Geographic TV, il est tellement trognon avec ses grands yeux! Écoute ce qu'a dit un ministre de la France : « Ce sont des déforestations massives qui se produisent, avec des destructions d'habitat naturel qui compromettent tout un écosystème. » On sait de quoi on parle. L'agriculture occupe 53,2 % de la surface de notre pays, et jusqu'à 75 % dans des régions comme le Nord-Pas-de-Calais, ce qui nous assure facilement nos 2 100 calories par jour — les calories sont une notion abstraite, difficile à comprendre quand on est sous-alimenté comme toi. Où sont les forêts primaires françaises, je te le demande ? Envolées. On ne veut pas de ce désastre chez toi.

Toi, petit mammifère, tu vis dans une richesse écologique exceptionnelle. Profites-en. Respire ! Si tu ne le fais pas de ton plein gré, la France te forcera à le faire. Elle sait mieux que toi, la France, ce qui est bon pour toi, car c'est la France, tout de même ! Elle connaît les dégâts que ta petite cupidité de linotte peut faire.

C'est pourquoi nous voulons taxer ton huile de palme à 300 %. Fais-nous confiance, c'est pour ton bien. À la place, tu n'as qu'à planter de la brioche. C'était un message de la France.

MONTEBOURG,
NOUVEAUX DÉBOUCHÉS

Céréales du matin Montebourg Extra pépites. À déguster tous les lundis dans un peu de lait de chamelle et une cuillère à café d'urine de gorille, naturellement riche en potassium. Parfait pour attaquer une longue semaine de combat au bureau. Donne pendant vingt-quatre heures de gros yeux injectés de sang, sans effets secondaires ni gueule de bois. Double le volume des testicules. Les quelques érections qui se manifestent par surprise ont un excellent effet sur votre statut social. Indispensable pour avoir en toute circonstance un moral de cogneur, une attitude « Retenez-moi ou je fais un malheur ». La poule mouillée que vous êtes renaît en coq AOC France. À toutes fins utiles, signalons qu'une légère pichenette sur le nez suffit à désamorcer vos superpouvoirs. On veillera donc à protéger cette partie sensible de l'anatomie et l'on évitera de rouler des mécaniques devant d'autres singes alpha. Pour la même raison, il se peut qu'un doigt d'honneur brandi trop près de votre figure vous fasse paniquer. Ce n'est qu'un mauvais moment à passer. Riches en fibres pour un parfait transit intestinal, les céréales Montebourg Extra pépites vous garantissent un excellent séjour aux toilettes, endroit où l'on pourra se cacher le temps de récupérer.

Aphrodisiaque pour femmes Montebourg Chaleur fontaine. Vos rapports sont longs et douloureux ? Vous êtes anormalement sèche au moment de passer à la casserole ? Vous êtes une peine-à-jouir ?... Pas de panique. Avec l'aphrodisiaque Montebourg Chaleur fontaine, fini ces petits tracas qui peuvent compromettre le bonheur de votre couple. Vos rêves, peuplés de Popeye en marinière, seront chauds, petite friponne ! Toujours prête et lubrifiée, vous serez en pole position pour accueillir votre homme quand il lui vient un redressement productif.

Plus jamais d'impair aux soirées VIP avec la revue people *Montebourg Podium Star*. Retrouvez tous les potins, tous les sex plans coquins des stars de la politique. Quelle journaliste baise quel homme politique ? Dans quelles positions déontologiquement acceptables ? Peut-on présenter le 20 heures quand on vient de sucer un ministre ? Toutes ces questions essentielles et bien d'autres seront traitées avec délicatesse, sans jamais tomber dans le caniveau. Soyez les premiers informés, sans voyeurisme aucun. En cadeau dans le premier numéro, des lunettes en plastique simili-tortue — de quoi réveiller la star qui sommeille en vous — et une réduction à l'abonnement annuel Attractive People, le site de rencontres haut de gamme pour célibataires exigeants.

Pommade pour anus, Montebourg Câlin douceur. Lors de grands bouleversements sociétaux, un bobo au séant est si vite arrivé, avec toujours cette désagréable impression de s'être fait ramoner à sec. Quand vous sentez que votre heure est venue, un peu de pommade Montebourg Câlin douceur évitera irritations et sensation de brûlure. Le membre pénétrant glissera mieux et l'on n'aura presque plus honte de se faire ainsi défoncer. Même les plus gros engins (barre d'acier encore chaude, poulet Doux avec ou sans plumes) entreront comme par magie dans un trou de balle ainsi beurré. Vous serez le premier surpris. À croire qu'ils ont toujours été dans votre cul. L'essayer, c'est l'adopter ! « Je n'ai plus mal avec Montebourg Câlin douceur, et il me laisse une agréable sensation de fraîcheur. »

PARLONS SPERME

Allons, amis éjaculateurs, cette fois-ci ça sent réellement la fin du monde : le bon vieux sperme français est malade. Le nombre moyen de spermatozoïdes présents dans la semence nationale est en chute libre et continue. D'éminents scientifiques ont goûté le précieux liquide de 26 000 volontaires. Résultat, entre 1989 et 2005, chez les hommes de 35 ans, la proportion de spermatozoïdes normaux a connu une réduction de 33 %, comme le constate froidement la revue *Human Reproduction*. Si l'on garde le même rythme, à savoir 1,9 % de baisse de la concentration spermatique par an, on passerait dans quarante ans sous le seuil de fertilité fixé par l'OMS.

Ni une ni deux, la presse s'affole. « Panique sur le sperme des Français », titre *L'Express*. « Le spermatozoïde français, une espèce en voie de disparition », s'interroge France 24. « Il faut sauver le sperme des Français ! », lance *Marie Claire*, prêt à en découdre, entraînant dans son saint combat nos filles et nos compagnes. « Le wi-fi responsable de la baisse de qualité du sperme des Français », accuse en douce Reviewer.fr, conseillant de tenir nos parties honteuses éloignées des portables et des ordinateurs.

Que s'est-il donc passé entre 1989 et 2005 qui a si gravement nui à nos queutards, ces sympathiques excréments de fertilité ?... La pollution, entend-on au café de la gare. Mouais. La pollution a existé bien avant 1989. Sur ce plan, nous avons indiscutablement progressé : il n'y a jamais eu autant de règlements, interdictions, hystéries collectives pour nous priver de décharges, de plomb, d'amiante, de phtalates, de farines de viande, d'EPO. Pas un jour ne passe sans une nouvelle norme alimentaire. Jamais nous n'avons été à ce point protégés contre nous-mêmes, jamais les pouvoirs publics n'ont autant dépensé pour que l'on mange plus sainement, pour que l'on chie tout en douceur. Le sport, cette engeance, a connu une dramatique prolifération. Le petit spermatozoïde, lui, disparaît malgré toutes ces montagnes de précautions — ou à cause, qui sait ?

Ce ne seraient tout de même pas les grandes inaugurations simultanées de 1989, celles de la pyramide du Louvre, du parc Astérix et du Big Bang Schtroumpf, qui auraient à ce point perturbé nos automatismes endocriniens pour les seize années suivantes ?...

Allons, amis éjaculateurs ! Ouvrez les yeux ! La montée en puissance totalitaire de la course immodérée à la santé, « notre bien le plus précieux », comme on dit lourdement, correspond précisément à la période où s'accomplit l'appauvrissement de nos bourses.

Rien ne résume mieux l'esprit du temps que l'acharnement contre le tabac. La loi Évin date de 1991 ; elle a été suivie par d'innombrables coups de bambou fiscaux et d'incantations autour du tabagisme passif. Pourtant, la courbe croissante du prix des Gauloises épouse tellement bien celle de la dégénérescence de nos spermatozoïdes que laissez-moi m'ébaudir devant l'évidence : et si le tabac était précisément cet élément mystérieux qui permet d'avoir le sperme tonique et dont le rationnement compromet maintenant la survie de notre espèce ? Sa découverte, en 1492, n'a-t-elle pas coïncidé avec les prémices des Temps modernes et l'explosion démographique qui a suivi ? Parmi le millier de substances qui entrent dans sa composition, la science finira peut-être par isoler la molécule miraculeuse, et l'on se moquera de nos certitudes de 2012 comme on rit aujourd'hui des saignées et sangsues.

À LA DÉCOUVERTE DES INSTITUTIONS
À QUOI SERT LE SÉNAT ?

— Papa, papa, à quoi il sert, le Sénat ?

— Euh. Tu ne voudrais pas que je te parle plutôt de la sexualité, comment on a fait avec maman pour t'avoir, ce genre d'info, ou que je te montre des vidéos coquines avec des belles filles sur Internet ?... Tu connais Sasha Grey ? Katsuni ? Moi, à ton âge, j'aimais beaucoup Samantha Fox.

— Non, merci, papa, tu es gentil, mais je voudrais que l'on parle du Sénat.

— Bon, puisque tu insistes. Assieds-toi. Je crois que tu es assez grand pour savoir. C'est un sujet dont on parle peu dans les chaumières, et tu comprendras pourquoi. Tu vois, mon petit, les hommes politiques sont comme tout le monde, ils ont peur du troisième âge, alors quand ils se font vieux, que les neurones sont un peu détendus, voire grillés, et que la quéquette ne se lève plus comme chez toi, ils ont besoin d'un endroit où ils peuvent se reposer, un club, si tu veux, où ils font semblant de travailler, et qui leur assure un bon petit coup de pouce pour leur pouvoir d'achat. Ils y viennent, ils y sont au chaud, ils piquent un roupillon, ils oublient incontinence et statistiques économiques auxquelles ils ne comprennent rien, et nous, on est bien contents de pouvoir leur assurer une fin de vie aussi heureuse, à ces glorieux débris de la République, avec chauffeur de fonction et bon petit resto étoilé. Mais attention, pour que les citoyens ordinaires continuent de financer ce train de vie fait de petits-fours et de « voyages d'étude » aux Maldives, il ne faut pas en parler. Tu sais comment ils sont, les gens, en ces temps de crise. Jaloux, mesquins, minables. Ils seraient capables de remplacer le Dom Pérignon par une Badoit en bouteille plastique. Alors chut ! À l'école, en cours d'instruction civique, on t'a donné le plein d'informations inutiles : le mode d'élection, le nombre de sénateurs, l'histoire du Sénat. On t'a sûrement dit qu'en France « la démocratie locale est une composante essentielle de la démocratie nationale ». On t'a peut-être assommé avec une tirade comme celle-ci : « Sur le plan constitutionnel, le Sénat a participé à l'élaboration d'un cadre juridique mieux défini pour les collectivités locales, au regard de la Constitution, tant au cours de la discussion des textes législatifs soumis à son examen, qu'en amenant le Conseil constitutionnel à statuer à plusieurs reprises sur le principe et le contenu de la libre administration des collectivités territoriales. » C'est à la rubrique « Rôle et fonctionnement » sur senat.fr, avec pour sous-titre « Des rubriques courtes et claires pour aller à l'essentiel ». C'est aussi visqueux que du Nutella mélangé au miel, et, si tu as l'impression que ça ne veut rien dire, c'est que tu es encore bien naïf, mon bonhomme. Quand tu auras un peu vécu, tu comprendras que la bourbe est le meilleur moyen de cacher le poisson. Le sens véritable est le suivant : « Sur le plan constitutionnel, le Sénat ne sert à rien, il fait doublon avec l'Assemblée nationale, mais attention, pour protéger ceux qui y tètent, on a dressé un mur tout en verbosité où s'écraseront vos puériles interrogations, une forteresse que nous allons défendre comme la prunelle de nos yeux car elle est essentielle à l'ordre établi. »

— Alors c'est comme Sciences-Po, ça ne changera jamais ?

— Jamais. N'est-ce pas merveilleux ? Il y a au cœur de la République une stabilité comparable aux pyramides. C'est pour cela que notre système est le meilleur au monde. Sois-en fier, mon garçon.

LE PAYS DES IDIOTS UTILES

En voilà, une année qui commence fort : les lèvres encore rutilantes de foie gras, le gosier refoulant quelque bon vin dont il s'est repu à Noël, Gérard D., dans une explosion de joie animale, dégage au diable et chez les Grecs cette France qui lui pique son pognon, déchire sa carte Vitale et le formulaire de passeport Cerfa 12100, et s'en va déclarer son amour à la grande Russie du voïvode Poutine, dont il baise en public la rainure fraternelle.

Tel Maïakovski en 1929 [1], il brandit fièrement l'oriflamme du passeport flambant neuf, le fourrant hardiment dans la gueule des caméras : regardez-le, mon viatique, tweetez-le, bouffez-le, car tel est mon bon plaisir, je suis la théâtralité faite homme, ma superbe n'a d'égale que votre mesquinerie. Ce que la France ne saura jamais faire — attribuer à un ressortissant étranger la citoyenneté et un passeport en un claquement de langue —, le magicien Poutine l'exécute avec une dextérité de chasseur rompu à la traque des oursons maladroits. « La Russie est une grande démocratie », s'envole

_____

1. Dans ses « Vers sur le passeport soviétique », écoutons le finale : « Je tirerai de mes poches profondes/l'attestation d'un vaste viatique./Lisez bien, enviez/— je suis un citoyen/de l'Union soviétique. »

alors le monument du cinéma français, et l'on commence à trouver le temps long, le spectacle s'éternise, on sent comme une laideur diffuse. Un doute. Ne serait-il pas en train de nous ridiculiser aux yeux du monde entier, lui, notre gloire nationale ?...

Allons ! C'est une bonne chose que cette petite honte-là, profitons-en, savourons la souillure car il fut un temps, pas très éloigné, où le doute manquait singulièrement à nos esprits éclairés. Un temps où l'on était, au contraire, gonflés aux certitudes, où une bonne partie de l'élite française se complaisait dans une indécrottable servitude idéologique.

En 1954, revenu d'un voyage d'un mois en URSS, le grand Jean-Paul S. accouche d'un entretien à la une de *Libération* : « La liberté de critique est totale en URSS. Et le citoyen soviétique améliore sans cesse sa condition au sein d'une société en progression continuelle. » Ça vaut son pesant de Gérard D., quand on y pense. Autre perle, parmi des dizaines d'autres : « L'erreur serait de croire que le citoyen soviétique ne parle pas et garde en lui ses critiques. Cela n'est pas vrai. Il critique davantage et d'une manière beaucoup plus efficace que la nôtre. » Ce texte, assez peu connu dans son intégralité, allez savoir pourquoi, mériterait pourtant d'être gravé sous chaque plaque de rue qui porte le nom de notre illustre visionnaire, sous les porches des lycées, médiathèques, Abribus, bunkers et bordels

185

dédiés à sa mémoire, partout, dans chaque commune française, comme une petite vérole.

La France est injuste. Avec cette histoire, je crains que Gérard D. n'ait jamais rien à son nom, pas même une impasse ou une bouche d'égout, chez nous en tout cas. Reste la Mordovie. Belle région que voilà ! Mon père y a passé six ans. C'était à Potma, dans un camp à « régime particulièrement sévère ». Il a porté des sacs de charbon, découpé des planches, assemblé des chaises, pratiqué de jour comme de nuit toutes sortes d'activités indispensables à un intellectuel « égaré ». On y travaille encore aujourd'hui. *Le Monde* me dit qu'une dame des Pussy Riot y perpétue cette belle tradition, transmise avec amour de kagébiste en kagébiste, pendant que, chez nous, sur notre métier, se tissent les plus parfaits idiots utiles.

L'ENFANT, QUAND IL VIENDRA

Dans le cadre de la profonde admiration que je porte à ma personne, surtout depuis que j'ai changé de lunettes et qu'une barbe de huit jours vient orner ma physionomie, voulant à tout prix monter dans le train des avancées spectaculaires vers de nouvelles normes sociétales dénommées « progrès », estimant que je n'ai pas à être traité en citoyen de seconde zone quand tout le monde autour de moi est en passe d'obtenir le droit de se marier avec la personne de son choix, je m'en vais célébrer auprès des pouvoirs publics et de l'opinion, que je prends ici à témoin, un mariage avec moi-même.

La fête sera grandiose. Je ne me refuserai rien. Car il se trouve que je m'aime beaucoup. Voilà. C'est dit publiquement. Il n'y a plus de secret, plus d'hypocrisie. Je fais mon *outing*. Je vais peut-être vous choquer, mais cela fait pas mal d'années que je sors avec moi-même, que je couche avec moi-même. Plus le temps passe, plus on devient inséparables, moi et moi. Je crois que c'est parti pour durer. Outre que je me trouve un tas de qualités, je pense être en symbiose quasi biologique avec moi. La preuve, il arrive souvent que le matin, au moment de prendre le petit déjeuner, je morde le croissant en devinant parfaitement mes pensées les plus enfouies. Soudain, j'ai envie d'une gelée de groseilles. Et aussitôt, comme par magie, une autre partie de moi-même s'interroge : reste-t-il de la gelée au frigo ? Dans un couple, une telle connivence est remarquable, même chez ceux qui vivent des noces d'émeraude.

Je sais que mon discours risque de froisser une société sclérosée, dominée par le modèle hétéropatriarcal et homomatrimonial. Quand cesserons-nous de stigmatiser l'amour qu'un homme (une femme) porte à lui-même (elle-même) ? Si vous ne vous aimez pas, c'est votre affaire, mais respectez ceux qui, comme moi, s'aiment de tout cœur, et qui ne demandent qu'une chose : l'égalité dans la justice sociale et le progrès. En vertu de quel principe des Lumières me refuseriez-vous ce que la société a accordé à des millions de couples hétéros et homos ?

La sexualité que je pratique avec moi-même est pleine et satisfaisante. D'après des critères objectifs de l'OCDE (fréquence des rapports, intensité des orgasmes, distance de projection spermatique, etc.), la chose est difficilement contestable. Je suis certain que beaucoup de couples sont moins épanouis que moi tout seul. Il m'arrive d'être tellement bien avec mes zones érogènes que j'invite une troisième personne à en partager les fruits. C'est amusant, je le reconnais, mais comment ne pas remarquer que, dès qu'il y a un intrus entre moi et moi, il y a toujours une micro-déception, certaines choses frottent trop, d'autres pas assez, bref, il manque un je-ne-sais-quoi qui fait qu'un rapport moi-moi sera toujours plus spontané, plus naturel, qu'une partie fine moi + moi + un (une) autre. D'abord, quand il est avec moi, moi ne simule jamais, ou alors il (elle) le fait dans la transparence et la considération.

Une fois marié, je me devrai mutuellement respect, fidélité, secours, assistance. Je m'obligerai à une communauté de vie avec moi-même. Ma résidence, mes occupations, mes vacances seront choisies d'un commun accord avec mon humeur du moment. Tout sera simple. Peu de disputes, d'infidélités, de mesquineries. Un partage parfait des tâches ménagères. Une parité exemplaire des revenus. Autant dire que, si tout le monde faisait comme moi, le taux de divorce serait au plus bas — un gage de stabilité affective pour l'enfant, quand il viendra.

LA NAUSÉE CASSEZ

Dans le cadre de la semaine nationale Florence Cassez, que le journalisme français a couverte avec une délicatesse qui l'honore et un dévouement tout pavlovien, vous avez été nombreux à nous écrire pour demander un suivi régulier de cette femme remarquable, citoyenne d'honneur de la ville d'Orléans, afin de ne pas perdre l'investissement affectif déjà effectué sur sa personne par vos glandes lacrymales. Comme on vous comprend! Veuillez donc prendre note des principales étapes qui attendent notre vedette préférée dans les mois à venir. Pour que s'accomplisse enfin la mise entre parenthèses de l'économie française, de la guerre au Mali et de toutes choses visibles et invisibles au profit de cette belle réussite de l'establishment politique français, toutes tendances spirituelles confondues !

Mois 1. Un bébé koala, né au parc zoologique de Beauval, est spontanément baptisé Florence par l'ensemble du personnel. Encouragée par les cris de la foule, Florence commence enfin à sortir régulièrement de la poche marsupiale de sa maman. En partenariat avec France 2, National Geographic nous livre des premières images émouvantes. Florence Cassez vient en personne saluer le petit animal, à qui elle apporte une branche d'eucalyptus, symbole de pureté, rejointe par Delphine Batho (à droite sur la photo). L'ensemble de la manifestation est placé sous le signe du WWF.

Mois 2. Les candidatures d'Anne Lauvergeon, ancienne présidente d'Areva, et de Jean-Claude Trichet, ex-gouverneur de la BCE, pour siéger au conseil d'administration d'EADS ont été validées par Florence Cassez après un bref et cordial entretien où elle a pu tester les compétences de madame Lauvergeon à l'aide d'un QCM adapté. Pierre Moscovici (en bas à gauche sur la photo) accompagne Florence et reçoit de sa part les premiers conseils sur la croissance et l'emploi.

Mois 3. Chacun à son tour, les constructeurs automobiles sortent des modèles « Florence Cassez », élégants et spacieux, dont la commercialisation commencera à la rentrée. Pour marquer l'événement, des opérations « portes ouvertes » seront organisées dans tous les réseaux

Renault et Peugeot. Rappelons que ces modèles bénéficient d'un bonus, dit « bonus Cassez », versé par le gouvernement pour toute reprise d'un ancien véhicule. Arnaud Montebourg (derrière le pot de fleurs sur la photo) s'incline devant la performance de nos usines.

Mois 4. Élégamment gainée dans un bustier Franck Sorbier, Florence Cassez met le feu aux NRJ Music Awards. En osant la transparence, de face comme de dos, laissant entrevoir sa poitrine et ses fesses, elle enfonce Rihanna au palmarès des femmes les plus désirables du monde établi par le magazine *FHM*. Accompagnée d'Aurélie Filippetti (dont on voit un mollet sur la photo), miss Cassez est repartie avec le trophée de l'artiste francophone de l'année.

Mois 5. Retenue pour le All-Star Game, en compagnie de Tony Parker et Joakim Noah, Florence Cassez dégaine le grand jeu face aux Clippers. La chouchoute de Dunkerque sort un match énorme : 20 points, 10 rebonds et un record personnel à 12 passes décisives. On la voit ici, à dix secondes du coup de sifflet final, marquer un panier à trois points (sur la photo, dans les tribunes, on devine l'ombre de Jean-Marc Ayrault).

BONNE MAMAN

Le gouvernement a été saisi officiellement. Une demande expresse. Il faut agir dans l'urgence. Une lettre recommandée avec AR a été postée. Un huissier s'est déplacé. Le téléphone rouge a sonné. Plus on interviendra tôt, plus on sera efficace. Alerte ! alerte ! Cela fait des années que l'on subit, il y a un moment où il faut que ça cesse. Mieux vaut tard que jamais. Les cabinets ministériels transmettent la demande. Les rouages tournent. La machine vibre.

Que se passe-t-il, enfin ? C'est simple, une députée socialiste de Paris, Sandrine Mazetier, est indignée. Il faut changer le nom des écoles maternelles, nous dit-elle. Un scandale dont personne ne parle. Pour qu'elles ne s'appellent plus « maternelles », cet adjectif infamant faisant penser à « maternité », à « mère », à « maman », etc., des mots connotés sexistes, discriminatoires, des mots-prisons où croupissent des millions de femmes que la société a enfermées à triple tour dans une condition de poule pondante, de vache allaitante, de maman koala à poche marsupiale enveloppante, pour mieux asseoir la domination masculine, nous dit l'élue du peuple.

« La maternelle, c'est une école. Ce n'est pas un lieu de soin ou un lieu de maternage. C'est aussi un lieu d'apprentissage, nous éclaire notre

Jeanne d'Arc au micro de RTL. Changer le nom de maternelle en petite école ou en première école, c'est neutraliser d'une certaine manière la charge affective et maternante du mot maternelle. »

Pauvre Sandrine Mazetier ! Comme elle doit souffrir quand elle passe devant une maternité — que l'on ferait bien de neutraliser en maison des naissances — ou quand elle tombe sur un pot de confiture Bonne Maman — appellation doublement scandaleuse car surélevant la poule allaitante, la vache marsupiale, le koala pondeur qu'est la femme dans la mythologie du fais-moi-peur féministe vers le statut ô combien honni de cuisinière, de fée du logis qui fabrique avec son cœur et ses mains besogneuses de bons petits plats sous le joug patriarcal. À moins que Bonne Maman ne soit tout simplement une autre manière de dire que maman, ben elle est bonne, sacrément bonne, qu'elle a ce qu'il faut où il faut : expression signifiant le désir du mâle concupiscent. Bonne Maman, l'équivalent gaulois de *mother I'd like to fuck*. Voyez le triple piège abject que subit Sandrine Mazetier au supermarché. Elle veut acheter une confiture aux fraises, et là, pensant être en sécurité parmi les gâteaux secs et les nouilles, elle se fait agresser : on la traite violemment de maman, on la remet à sa place dans la cuisine, et l'on finit par lui éjaculer à la figure. Non vraiment, c'est trop.

Vite, légiférons pour que les noms poten-tiellement sexistes ne rayent plus les yeux de nos élues, neutralisons Bonne Maman. Attention, ce n'est pas si simple. Bonne Confiture paraît sobre et logique, mais c'est oublier que bonne fait aussi songer à la domesticité, cet esclavage d'un autre temps, heureusement révolu. On préférera donc Bon Fruit cuit ou tout simple-ment Confiture.

Soyons réalistes dans les noms. Ouste la métaphore, le joli-joli, les appellations vieil-lottes ! Allons à l'essentiel. Le PCF a liquidé la faucille et le marteau, le mot « race » disparaît de la Constitution : autant d'avancées vers un monde pragmatique et fonctionnel. Qu'une maternelle soit une école, que Bonne Maman soit une confiture, que Serval soit une guerre ! Oups, je me suis laissé emporter. Serval restera Serval, un gentil petit minou tacheté. Écoutons-le qui ronronne, là-bas, au sable chaud du Mali.

KEN ET BARBIE

BARBIE : C'est la Saint-Valentin, les filles ! Je veux me faire toute belle pour mon cham-pion pas handicapé où je pense. Mettons de la pommade sur le nez, les joues, les lèvres (petites et grandes). Faisons-lui une surprise. Je tweete : « Et vous, qu'avez-vous préparé pour votre amoureux ? #surprise orale #surprisevaginale »

KEN (tapant à la porte) : Dis donc, poupée, ça fait trois heures que t'es enfermée dans la salle de bains. Sors tout de suite, j'ai mon membre qui a besoin de se soulager.

BARBIE : Attends, mamour, sois patient, tu seras récompensé au-delà de tes espérances… J'ai mis une nuisette sexy. Regarde un peu par le trou de la serrure, mais ne te touche pas trop, garde tes forces pour tout à l'heure, coquinou.

KEN : Rien à foutre des espérances, c'est pisser que je veux. Le stellenbosch et la Redd's descendent vite. Ouvre, je te dis.

BARBIE : Tu n'as qu'à faire le pissou aux autres chiottes, mon biquet, ce n'est pas ce qui manque dans cette maison ultra-sécurisée.

KEN : Il faut se calmer, la blondasse. C'est ma maison, j'ai le droit de choisir les chiottes que je veux. Je l'ai mérité. N'oublie pas que Nelson Mandela court genre dix fois moins vite que moi. Je suis l'esprit, le corps et l'âme de millions de sportifs handicapés dans le monde. Mes lames de carbone font rêver la bonne conscience des trouducs, alors respect. Essuie ton cul et dégage de ma propriété.

BARBIE : Oh, Ken, chéri, il ne faut pas parler comme ça à une femme, même si tu as eu une enfance difficile. N'ai-je pas tweeté la semaine dernière contre les violences verbales faites aux femmes ? Ne me suis-je pas engagée dans une campagne people contre le viol et la violence physique avec mes copines du télé-harpon « Tropika, l'île au trésor » ?... On dirait que tu n'as pas été sensibilisé.

KEN : Je vois ta tête 24 sur 24, 7 sur 7, alors la sensibilisation, merci, je l'ai à pleine dose d'anabolisants. Et si tu penses me snober avec tes émissions de télé-pétasse, dis-toi bien que « *I am the bullet in the chamber* », comme le clame la publicité Nike avec ma dégaine de profil où je m'élance vers les podiums. Je suis la balle dans le canon, mets-toi bien ça dans le crâne. Le jour où tes nichons seront sponsorisés par saint Nike, on en reparlera, poupée. Et maintenant, OUVRE CETTE PORTE ! Ne me fais pas sautiller sur place comme un putain de springbok.

BARBIE : Oh, Ken, si je sors maintenant, tu verras la nuisette, la pommade, tout quoi. Ce serait ruiner la surprise. Sur l'échelle des pires crimes que l'on puisse commettre quand on est une gentille personne comme moi, une surprise de Saint-Valentin gâchée, c'est comme décapiter un panda. Je l'ai dit à « Tropika », il faut « réussir sa sortie » et « conserver toujours son intégrité, garder la classe, et être toujours vrai avec soi-même ». Il faudrait que je le retweete.

KEN (tambourinant comme un malade) : La balle dans le canon veut bien être patiente, mais il y a des limites humaines qu'elle ne peut dépasser. J'ai les yeux qui gonflent à force de me retenir. Par la queue de saint Valentin, je me demande si tu n'es pas en réalité un putain de cambrioleur qui serait en train de piquer mon papier toilette à l'effigie de Desmond Tutu et mes échantillons d'EPO.

BARBIE : Ne dis pas de bêtises sur notre révérend !

KEN : Bloquer les voies urinaires d'une icône est un crime contre le sport. Basta. Elle est où, ma batte de cricket ? Il est où, mon flingue ?...

LA RIRETTE

Il fallait s'y attendre : depuis le temps que la critique littéraire sème des roses sous les pas simiesques de l'autofiction, adulant ce nombrilisme comme le Veau d'or, proclamant « style » son badigeon lourdaud aux arômes de latrines, sortant le dithyrambe à chaque publication croustillante, se pâmant à chaque viol, inceste, partouze, sida, transformant l'étalage de confessions zizi-pipi-caca écrites dans une langue stéréotypée de niveau lycée en « récit intime », « expérience intellectuelle »,

« vertige », tirant la comparaison avec Kafka, Voltaire, Zola et d'autres qui n'ont rien fait de mal pour mériter qu'on macule leur nom par osmose, il fallait s'y attendre, disais-je, que le système marchand nous ponde une autofiction ultime, sorte de voyage au bout de la salissure douceâtre (la vraie salissure, celle de Sade ou de Céline étant hors de portée de leur talent), où l'auteur, en ténia opiniâtre, parasite le guignol suprême de l'année 2011, s'infiltre par ruse dans le conduit rectal de notre ex-puissant, ce commandeur devenu bête de foire mais qui bande encore (est-ce par masochisme ou par respect pour son membre encore vaillant qu'il ne s'est pas foutu en l'air après tant de couleuvres avalées à grand et à petit feu ?), pour nous livrer ses observations faux derches et cruelles sur cet être censé nous fasciner, mais dont on se demande si l'on n'a pas fait indigestion.

Mangez ! répondent en chœur *Le Nouvel Obs* et *Libération*, en consacrant à l'ouvrage une place démesurée, en une et à l'intérieur. Vous en reprendrez bien encore une tranche, du DSK faisandé à point ! Il vous reste une petite place ! Ce fumet, ce n'est pas de la merde, non, vos sens vous trompent, c'est de la littérature ! De la littérature 100 % littéraire, sans viande de cheval d'aucune sorte. Vous pouvez nous faire confiance, nous qui passons notre temps à distribuer bons et mauvais points, nous qui savons étiqueter les gens comme personne et appuyer des leçons de morale. Nous, gardiens du temple, concierges du bon goût de notre époque, nous avons humé ce texte en avant-première, et l'avons validé. Allez-y sans crainte. Vous pouvez, vous devez vous y vautrer, disent-ils. Ne voyant pas le nez au milieu du visage : c'est précisément parce qu'on le propulse à la une du *Nouvel Obs* et de *Libé* que ce n'est pas de la littérature mais du bavardage.

À ceux qui seraient tentés d'installer quand même le livre de Marcela Iacub sur les larges épaules de la littérature, tel l'enfant Jésus sur les épaules de saint Christophe, afin de lui faire traverser le sens critique des lecteurs qui ne sont pas nés de la dernière autofiction, je voudrais faire remarquer que l'une des caractéristiques de la mauvaise écriture est la facilité avec laquelle on peut la parodier ; ici, l'exercice consisterait à reprendre le phrasé de la pose, le ton incantatoire de l'excès, l'apostrophe à la gueule, le couperet des vérités pseudo-universelles assénées avec aplomb, et j'en passe. La place manque pour nous livrer ici à cette expérience, mais je suis certain qu'un facétieux étudiant en lettres saurait en tirer un texte désopilant.

La morale de cette lamentable histoire, la rirette, c'est que la rencontre du porc et du ténia produira de jolies ventes pour Stock au détriment de la crédibilité éditoriale (déjà bien élimée) de nos phares que sont *Le Nouvel Obs* et *Libé*, les deux couillons de l'affaire.

La morale de cette morale, la rirette, la rirette, c'est que le ténia a de beaux yeux *(bis)*.

METTEZ DU ROUGE

J'ai une bonne et une mauvaise nouvelle.

La bonne nouvelle, c'est que cette année j'ai eu envie de fêter le 8 mars pour montrer ma solidarité avec la cause féminine.

La mauvaise nouvelle, c'est que je n'avais aucune idée originale. Je suis certes un mec bien, très cool avec les femmes, ouvert sur la modernité. J'ai pensé crier « Non au sexisme ! » dans la rue, à la sortie du Franprix, mais je ne savais pas comment le formuler plus intelligemment, en plus une grosse vache en jupe me regardait, alors je me suis abstenu.

La bonne nouvelle, c'est qu'en allant sur Internet pour chercher des idées je suis tombé sur marieclaire.fr et la très excitante campagne « Huit hommes célèbres ont accepté de poser en talons afin de s'engager aux côtés de *Marie Claire* dans la lutte contre le sexisme », avec Daniel Cohn-Bendit et Sergi López (entre autres), ces deux grands fous posant en escarpins rouges pour mieux me troubler.

La mauvaise nouvelle, c'est que, ma garde-robe étant fortement démunie en escarpins rouges de taille 44, je n'ai pas eu le loisir de les imiter pour m'engager moi aussi contre le sexisme.

La bonne nouvelle, c'est que, à force de surfer un peu partout pour trouver des escarpins, j'ai découvert l'initiative « Mettez du rouge » sur aufeminin.com. On commence par signer une pétition en cliquant sur la phrase : « Je suis un homme. Si une femme se fait agresser devant moi, je m'engage à prendre sa défense. » J'ai lu, j'ai visualisé la scène, une femme un peu provocante, avec une jupe tendue où il faut, se fait brancher par un chelou, assez bien monté, un peu comme moi, je me suis engagé mentalement, j'ai cliqué. Et re et re. Dans la gueule à la fille. Qu'on se le dise, le viol est une pratique sexiste qui ne passera pas par moi.

La mauvaise nouvelle, c'est que j'ai appris qu'une femme se faisait violer toutes les six minutes en France, statistiques officielles à l'appui. « "Mettez du rouge" a pour objectif de faire reculer ces chiffres. Mettez du rouge : parce que nous devons changer cela, vite, ensemble. » Les hommes sympas niveau sexisme, comme moi, devraient mettre du rouge à lèvres pendant une journée — c'est l'idée de la campagne. Puis ils se font prendre en photo et tweetent à mort, comme Pascal Légitimus et Gaëtan Roussel (entre autres).

La bonne nouvelle, c'est que ça me faisait un bon prétexte pour aller chez Sephora choisir du rouge, ce dont j'ai toujours rêvé en secret. J'ai demandé une vendeuse et, ensemble, nous avons hésité entre le nacré et le laqué. En sortant de là, je bandais à mort, forcément.

La mauvaise nouvelle, c'est qu'en rentrant chez moi, tout pimpant de mon pulpeux atout séduction, j'ai croisé à nouveau la grosse vache en jupe et elle m'a regardé bizarrement. « Kès t'as, la pouffe ? T'aimes pas ma bouche anti-sexiste ? » Elle a sursauté. Un peu vexé, je l'ai suivie et serrée dans l'entrée de son immeuble, tout en paluchant ses formes. Et ce qui devait arriver arriva. Que voulez-vous. À force de penser aux femmes toute la journée, c'était fatal.

La bonne nouvelle, et je terminerai sur cette note optimiste, c'est que j'ai eu l'idée de mettre une capote. La femme a été rassurée question microbes, et c'était lubrifié, donc moins trauma-tisant pour tout le monde. Montrer respect et solidarité, à une parfaite inconnue qui plus est, c'est aussi ça, la journée du 8 mars.

OUIGOGOLITO, EN VOITURE !

Ouigogolitos de Marne-la-Vallée, réjouis-sez-vous !... Demain, oui, demain, un TGV tout neuf reliera plusieurs fois par jour votre ville pour-rie à Lyon, Marseille et Montpellier, sans passer par Paris-la-bobo et sa gare de Lyon paternaliste. Demain, oui, demain, vous pourrez profiter de l'offre *low cost* de la SNCF pour les pauvres et mon-ter à bord d'un train aux jolies couleurs cucul la praline bleu et rose, pour partir vers des destina-tions de rêve : Lyon-Saint-Exupéry, Montpellier-

Saint-Roch et Marseille-Kalachnikov (élue capitale européenne de la culture 2013). Ouigogolitos de cinquième zone, vous avez été choisis par la compagnie nationale pour bénéficier d'un service révolutionnaire en France, à un tarif à peine croyable, presque gratuit, de 25 euros en moyenne, la somme exacte étant secret-défense jusqu'au moment ultime où vous cliquez sur Internet, tarif qui pourra grimper à 85 euros pour un Marne-la-Vallée-Marseille-Kalach si vous avez coché les bons numéros du tirage complémentaire et que vous voyagez en période jaune vomi, autrement dit à une date qui vous arrange.

Ouigogolito, petit veinard, va ! Si tu n'es pas marnovallien, tu es encore plus avantagé. Sais-tu seulement que, pour un modeste surcoût de 7,30 euros et 40 minutes de ton temps qui vaut que dalle, tu pourras parcourir en RER le trajet hyper-top-hype Gare de Lyon-Marne-la-Vallée ? Puis, pour peu que tu ailles à Lyon et que tu n'habites pas à Saint-Exupéry, tu donneras 12 euros de ton argent de poche et 30 minutes de ton temps (qui vaut toujours que dalle) pour te rendre en centre-ville. Un bonheur ne venant jamais seul, il faudra te pointer 30 minutes à l'avance en gare de départ « afin de fluidifier l'embarquement et garantir le confort ». Tu as fait le total ? Sur chaque aller Paris-Lyon, un surcoût de 19,30 euros et une perte sèche de 1 h 40 de ton temps de merde, ces deux avantages club t'étant spécialement réservés, ouigogolito ! Le tout sans sacrifier la qualité de service : on pourra tout autant profiter du réseau délabré, des caténaires en panne, des passages à niveau bloqués, des retards gargantuesques. Alors, heureux ?

Pour bénéficier de ce prix, quelques restrictions s'appliquent toutefois, et c'est bien normal. On ne peut pas demander la lune, tout de même, par temps de crise. Les hippopotames avec leurs gros bagages ne sont pas les bienvenus, ils risquent de se voir refuser l'accès du train si leur barda ne rentre pas sous le siège. Quelle idée de partir avec une grosse valise ou une poussette ! Ce manque de savoir-vivre doit être sanctionné. Des amendes sont prévues. Un bon ouigogolito part les mains vides, ou presque : il lui faut une boisson, un sandwich. Car la voiture-bar, avec ses repas prémâchés et son café diurétique, a été supprimée — pas de panique, les gourmets nongogolitos pourront les retrouver dans tous les autres TGV *high cost*. L'espace ainsi récupéré sert à entasser d'autres ouigogolitos et à offrir un « espace de repos pour le personnel de bord » dont tout Français à conscience sociétale développée ne pourra que se féliciter. Après tout, ne vivons-nous pas dans ce monde pour procurer du bonheur au cheminot ?

Je vois tes yeux qui pétillent, ouigogolito. Le tour de force de Guillaume Pepy te semble incroyable. Tu es tenté ?… Comme je te comprends ! Dépêche-toi de prendre place pour contribuer avec ton temps et ton argent au succès de l'innovation.

OÙ PLACER NOS MORTS ?

PETIT BUDGET. Stéphane Hessel au Panthéon. Hugo Chávez au mausolée. Sylvia Kristel en couverture de *Psychologies Magazine*. Maurice Herzog dans un placard à balais.

BUDGET MOYEN. Stéphane Hessel au Panthéon — tombeau en quartz translucide éclairé de mille spots (extinction des feux tous les jours à minuit pour faire un geste pour la planète). Hugo Chávez — mausolée gonflable à l'hélium, flottant dans les airs comme par lévitation. Sylvia Kristel en relief d'un échantillon gratuit de crème pour le corps, inséré dans les pages centrales de *Psychologies Magazine*. Maurice Herzog — placard à balais au cinquième étage d'une barre pompidolienne de la station La Plagne, avec vue sur le télésiège.

GROS BUDGET. Stéphane Hessel au Panthéon, entre Zola et une place vide, spécialement réservée à Florence Cassez — le tombeau en quartz est surélevé dans une crypte de style Gotham City, éclairée jour et nuit par la flamme du Soldat inconnu. Des pèlerinages, obligatoires comme la visite médicale de travail, seront organisés pour tous, avec une priorité aux retraités.

Équipé d'un système révolutionnaire de captage éolien en haute altitude, le mausolée d'Hugo Chávez est largué dans la stratosphère. Un câble, faisant aussi office de paratonnerre, relie le monument volant au palais de Miraflores, lui fournissant de l'énergie propre en continu. Si d'aventure les vents sont favorables et poussent le Comandante au-dessus de la France, le budget sera revu en conséquence pour faire face dignement à un si grand honneur. En cas d'éclipse du soleil par Hugo Chávez, un jour férié sera décrété pour que la population puisse assister à ce prodige.

Psychologies Magazine et les laboratoires Boiron s'associent pour diluer Sylvia Kristel à 16 ch, suivant le principe de l'Oscillococcinum, préparation faite à partir du cœur et du foie d'un canard de Barbarie. Les granules imprégnés des sucs microdosés de Sylvia Kristel sont de puissants remèdes homéopathiques contre la baisse de la libido féminine et le vieillissement. Ils seront offerts à toute nouvelle abonnée.

Peint en bleu, blanc et rouge, le placard à balais contenant la dépouille de Maurice Herzog est hélitreuillé jusqu'au sommet de l'Annapurna, où il est planté pour l'éternité, moyennant un accord financier avec le Népal. Tout alpiniste atteignant le sommet peut prendre un peu de repos à côté du grand sportif dans un bungalow prévu à cet effet et repartir avec un exemplaire de *Tintin au Tibet*. Au moment du départ, un enregistrement de Maurice Herzog se fait entendre : « Toi, faire attention à la descente, *sahib*. »

Il va de soi que les pouvoirs publics devront se montrer vigilants afin de ne pas s'emmêler les pinceaux et mettre Sylvia Kristel au Panthéon, Maurice Herzog au mausolée, Hugo Chávez en couverture de *Psychologies Magazine* et Stéphane Hessel dans un placard à balais.

LA GUERRE, ALLIÉE DE L'ÉDUCATION NATIONALE

Prenez une feuille, un crayon. Rangez vos notes, coupez Internet. L'usage des calculatrices est interdit. Interro surprise. Comment, vous n'avez pas révisé ? Tant pis pour vous, chenapans. Le monde étant une compétition pour la survie du plus fort, vous auriez dû vous douter que des contrôles de connaissances seraient effectués, même ici. À une époque où le niveau général baisse, que ce soit à l'école primaire ou à Sciences-Po, il est hors de question d'encourager l'ignorance moche parmi mes lecteurs. Que croyez-vous ? Ceux qui n'auront pas la moyenne seront convoqués avec leurs parents s'ils ont moins de dix-huit ans. Pour les autres, une assistante sociale sera nommée d'office et une demande de placement en maison de retraite, avec possibilité d'euthanasie ultérieure, sera établie. Ça rigole déjà moins, hein, les cancres !

On commence par un test de géographie. Nommez quatre villes du Mali. Quatre. Je n'en demande pas davantage. Oui, du Mali. C'est fait ? Je ramasse les copies.

Je vois déjà, à votre regard où pulse le triomphe du premier de la classe, que vous avez réussi. Tous, comme un seul homme, vous avez cité Bamako, Tombouctou, Gao, Kidal. Les fayots ont ajouté Tessalit, Mopti, Niono. Par un hasard des plus extraordinaires, le Mali, vous le connaissez comme votre poche. On dirait que vous y avez passé vos vacances. Vous auriez loué un pick-up Toyota et circulé du Sud au Nord et inversement que vous ne seriez pas mieux informés. Vous avez une idée de son climat (tempêtes de sable), de son système politique, de ses maigres ressources. On pourrait croire que, quand vous étiez petits, pour vous détendre, vous dessiniez des cartes du Mali, dont l'emplacement en pleine Afrique vous avait toujours fascinés. Et l'on dit, dans les cercles francophobes de Londres et de Shanghai, que les Français manquent de culture ! Que l'Éducation nationale est une branleuse nombrilo-narcissique dont l'horizon ne dépasse pas les noms des régions françaises et leurs préfectures, vaste science que l'on fait alterner avec les prodiges de 1789 ressassés jusqu'à l'écœurement… Eh bien, cette image est caricaturale. Bas le caquet, incultes jaloux ! Les Français connaissent Kidal. Et toc ! Un bled de 25 000 habitants perdu dans le trou du cul du Mali. Voyez cette incroyable érudition. Kidal !

À moins que… Je m'en doutais, vous avez triché. Vous vous êtes procuré les sujets avant l'épreuve. Comme chaque année au baccalauréat, une taupe s'est débrouillée pour être mieux informée que les autres et a balancé sur Tweeter.

Même pas, en réalité. L'autre jour, à une soirée, j'ai entendu dans la bouche d'un jeune avocat : « Les manuscrits de Tombouctou sont essentiels à la compréhension de l'Afrique précoloniale. » La fille qu'il draguait aussi joliment gazouillait en retour des réflexions géostratégiques sur les alliances possibles entre différentes composantes militarisées des Touaregs. Alors, le mec : « Passionnante, cette guerre. On apprend de ces trucs, t'imagines même pas ! »

Profitons-en bien, alors. Améliorons, grâce à la guerre, la culture gé de toute une nation. Explorons de nouveaux territoires. Pas loin de Bamako, il y a le Ghana, pays presque deux fois plus peuplé que le Mali. Lecteurs, je vous mets au défi aujourd'hui de citer de mémoire quatre villes du Ghana. La capitale, peut-être ? Hmmm ? Même pas ?… J'ai honte pour vous. Voyez le chemin qu'il nous reste à parcourir, monsieur Hollande.

LES TROIS LEÇONS
DE L'AFFAIRE CAHUZAC

Leçon 1 : DSK n'est plus tout seul sur le radeau. On imagine son soulagement, il commençait à trouver le temps long. Enfin un autre monstre à qui parler ! « Bienvenue dans la déchéance, Jérôme, lui dira-t-il. Voguons ensemble sur l'océan infini de l'indignité. Communions. Partageons. Tiens, ça t'intéresse sûrement de savoir comment elle suce, Iacub ?... Et toi, en échange, tu me raconteras les officines interdites de Genève, Singapour... Fascinant, ton aplomb ! Que se passe-t-il dans ta tête quand tu es au micro de l'Assemblée nationale et que tu nies "en bloc et en détail" ? À cet instant, tu en as dans le slip, respect. Chapeau, l'artiste, tu as failli les niquer. » Ensemble, ils évoqueront Stéphane Fouks, le petit génie d'Havas Worldwide (ex-Euro RSCG), qui leur a porté la guigne en s'occupant de leur communication. Ils tailleront un costard à Moscovici, ce lâcheur à sang-froid. Et répéteront en comptant les étoiles : « À ton avis, Jérôme, qui sera le prochain "brillant élément" du PS à basculer du côté obscur de la force ? — Compte tenu de la parité, je vois une femme, Dominique. » « Ce serait beau, Jérôme, une femme ! Quel symbole ! — Je parie cent euros que ce seront des bébés congelés. » Puis viendra le temps de la nostalgie :

« Tu te rappelles, Jérôme, quand tu lançais tes mesures contre la fraude fiscale, en novembre 2012 ? — Ha, ha, ha ! Je n'ai jamais autant ri que ce jour-là, Dominique. Et toi, comme tu bassinais tout le monde avec tes conseils d'économie à la con, et que ces abrutis t'écoutaient ? — Arrête, tu me fais mourir ! »

Leçon 2 : l'UBS n'est pas la plus planquée des banques. C'est le moins que l'on puisse dire. Et l'on ne peut que saluer la clairvoyance de Jérôme Cahuzac, qui, douze ans avant cette affaire, avait déjà pointé du doigt la légèreté du secret bancaire suisse dans une conversation téléphonique avec un conseiller financier. Las ! Dans notre société médiocre, on peut avoir raison avec douze ans d'avance et se faire saucer quand même. Il ne fait pas bon avancer en éclaireur de son époque, ma p'tite dame. Que tous les artistes en prennent de la graine. Et surtout, représentants de la République, évitez l'UBS pour vos économies durement non déclarées. La mort de Claude François a servi à améliorer les normes électriques des salles de bains ; l'explosion Cahuzac profitera à tous les élus fraudeurs, à condition qu'ils ne refassent pas les mêmes acrobaties.

Leçon 3 : la vie continue néanmoins. Ça paraît étrange, car à force d'écouter Moscovici, Ayrault, Hollande jongler avec la patate chaude qui leur retombe maladroitement sur le crâne avec ce bruit toc exaspérant, on a tellement honte pour eux que l'on a l'impression de ne plus exister. Pourtant, on aurait tort de désespérer. La vie finit toujours par triompher, même dans cette affaire. Regardez. Tout part de Suisse, évidemment. Sans Suisse, pas de Genève. Sans Genève, pas de banques. Sans banques, pas d'UBS. Sans UBS, pas de compte. Sans compte, pas de Cahuzac. Sans Cahuzac, pas de baffe à la démocratie. Sans baffe, pas de larmes. Sans larmes, pas d'oignon. Sans oignon, pas de pognon. Sans pognon, pas de fisc. Sans fisc, pas de redressement. Sans redressement, pas de Viagra. Sans Viagra, pas de plaisir. Sans plaisir, pas de vie. Allez, vivons donc encore un petit coup !

TRANSPARENCE

Dans le cadre de l'ouragan Cahuzac, afin de mieux lutter contre la fraude fiscale et morale qui semble gangrener notre société, afin également de distraire le peuple de France des problèmes de chômage et de pouvoir d'achat qui lui gâchent l'humeur matinale et le coït sabbatique, nous préconisons la mesure d'urgence suivante.

Toutes les personnes physiques, sans distinction de profession, de sexe ou d'âge, devront rendre publics leurs revenus et patrimoines détaillés. L'information sera imprimée en caractères lisibles à trois mètres sur une fiche bristol plastifiée portant le nom et le numéro de Sécurité sociale du contribuable, et se pendra au cou de chacun, en évidence, sans qu'il soit autorisé de cacher cette information par une écharpe ou une astuce vestimentaire d'aucune sorte, le susmentionné camouflage étant équivalent à un aveu de fraude publique, punissable suivant les lois prévues à cet effet.

Les revenus seront imprimés en chiffres fluorescents pour être visibles même la nuit ou en cas de faible éclairage écologique ; chacun doit pouvoir contrôler son voisin en un coup d'œil. Ainsi seulement, la vigilance citoyenne se donnera les moyens de ses ambitions. Aux caciques qui ne manqueront pas de pousser des cris d'orfraie, se prévalant d'on ne sait quelle atteinte à la vie privée, rappelons que les plaques minéralogiques des voitures fonctionnent sur le même principe de transparence et de visibilité, dans le respect des normes en vigueur.

Pour le patrimoine, on accordera une attention particulière aux véhicules, aux objets de collection (on pense aux montres), aux bijoux. Grâce à ce dispositif ingénieux, tout citoyen pourra vérifier que la Peugeot cabossée que conduit cet arriviste à lunettes est bien inscrite à son patrimoine ; toute citoyenne pourra contrôler que la parure en métal argenté de cette pouffe qui drague son mari est légitime.

Le combat pour la transparence doit être exemplaire, et ce dès la maternelle. Si l'on habitue les enfants à rendre public le montant de leur argent de poche, ce sera d'autant plus naturel pour eux d'adopter une attitude responsable et républicaine plus tard. À la place du bristol autour du cou, adapté pour des adultes mais qui pourrait se traduire chez les jeunes enfants par une hausse des étouffements accidentels que nous ne saurions tolérer, la comptabilité sera tenue sur un brassard porté sur le bras droit. Les jouets reçus à Noël doivent être considérés comme des avantages en nature et comptabilisés au même titre que les versements en espèces des grand-mères. Excellent support éducatif pour apprendre à nos petits les additions et les soustractions, le brassard sera aussi un moyen de casser les clivages sociaux en donnant davantage de punitions aux gosses de riches, ce qui est la moindre des choses.

On pourra aussi concevoir des activités ludo-éducatives où chaque enfant apprendra à contrôler lui-même le montant affiché par ses parents. Correspond-il à la réalité de leur train de vie ? N'ont-ils pas « oublié » une voiture de fonction, ont-ils déclaré la baby-sitter ? Ce sera un gage d'efficacité : qui, mieux qu'un enfant, saura se documenter discrètement sur les dépenses de maman, les revenus occultes de papa ?

Il va de soi que les informations ainsi collectées seront notifiées à la CNIL ; les sommes éventuellement récupérées auprès des fraudeurs seront intégralement reversées à la Haute Autorité d'éthique et de transparence, et placées par qui de droit en lieu sûr.

AVANT J.-C.

C'était il y a un mois, c'est-à-dire une éternité dans l'espace-temps de la gouvernance Hollande. Avant J.-C., avant Jérôme Cahuzac, on parlait de crise, d'emploi, de déficit, de problèmes coupants et saignants — l'exécutif n'avait pas encore noyé le poisson dans un flot de « transparence », de « moralisation de la vie politique », le manège enragé de la vertu effarouchée n'avait pas encore pété les plombs. Chômage, précarité, pouvoir d'achat en débandade : on avait ces ennuis concrets sur les bras, et, comme si ce n'était pas assez pour nous faire paniquer, s'y ajoutait une ribambelle de promesses du gouvernement. Vous vous en souvenez peut-être. En condensé, l'oraison donnait ceci :

« Quelle est ma priorité ? Quel est mon cap ? Ma priorité, je l'ai dit, c'est l'emploi, mais mon cap, c'est la croissance, je veux que la France connaisse une croissance. Pourquoi une croissance ? Parce que c'est la production nationale qui est en cause... Parce que, moi, j'ai confiance dans la France. La France est un grand pays, la France, c'est un pays qui a une technologie très avancée. On va donc investir dans les filières d'avenir. »

Ou bien : « Comment faire, donc, pour qu'il n'y ait pas d'augmentation d'impôts ? Faire des économies, faire des économies. Parce que, faire des économies, c'est la seule façon de ne pas défaire l'économie… La différence, c'est que, moi, je ne suis pas dans le constat, je suis dans l'action. Si on attend la croissance, pas sûr qu'elle arrive… C'est la même politique : marché du travail, compétitivité, emplois d'avenir, contrats de génération, filière industrielle, nous avons tous les éléments plus la formation professionnelle. Vous avez vu tous les efforts que l'on fait : économies, prélèvements qui ont été quand même sérieux… »

Tout ce gloubi-boulga est tiré de l'interview « boîte à outils » du chef de l'État sur France 2. À peine ai-je raccourci par-ci, raboté par-là, pour obtenir un condensé de la vision Gangnam Style guidant la France. Avant J.-C., en pédalant dans la centrifugeuse avec des discours, MM. Moscovici, Ayrault, Hollande faisaient preuve de volontarisme. Certes, couchée sur le papier, l'incantation prenait une autre dimension. On y entendait une forme de désespoir et de bravade suicidaire. On songeait à ces bataillons de 1914 chargeant une batterie de mitrailleuses au son du clairon. Sauf que, nous, le clairon, on l'avait gagé chez Ma tante.

Peu importe ! À l'attaque ! Le déficit de 3 % en bandoulière, la fleur des emplois d'avenir au fusil de notre envie d'en découdre, on allait la prendre à bras-le-corps, cette économie qui détruit nos emplois ! Avant J.-C., au pays de la croissance imminente, on n'était pas à une fanfare près. La ligne bleue de l'espoir nous suffisait. Et quand on n'en avait plus, perdu pour perdu ! On retire parfois une gloire personnelle à mourir sur le champ de bataille, entouré de ses camarades, en portant haut le drapeau crotté du régiment. Et peu importe, dans ces instants de sacrifice ultime, l'incurie crasse et crapuleuse des généraux qui nous ont envoyés à l'abattoir.

Avant J.-C., on avait une boussole cassée, étrangement fixe, et l'on s'en accommodait. Il suffisait d'attendre. L'attente de la croissance créait une forme de civilisation. Si l'on s'y mettait tous, à attendre en chœur, elle finirait par arriver, c'était logique. Il suffisait d'y croire. C'était le bon temps, finalement, cet avant-J.-C., le temps de la naïveté et de l'insouciance. Perdu à jamais, comme l'enfance.

DANS LE NEURONE DU SM

« Je ne vois pas le problème. Nous sommes des professionnels rompus à faire la part des choses. On peut, dans son bureau privé, épingler des cons de droite au pilori d'une antipathie légitime, et, quelques heures plus tard, rendre la justice sereinement, sans *a priori* d'aucune sorte, y compris pour des justiciables de droite (qu'ils soient perforés où je pense). *Idem,* on peut, la nuit, rêver d'étreintes pédophiles coupables, et, le jour venu, se comporter en homme ou femme sexuellement responsable et s'abstenir de toucher les mineurs sans leur consentement. C'est un contrôle de soi élémentaire, une sorte d'hygiène de la pensée, que nous, magistrats, sommes fiers de maîtriser et dont peu de citoyens ordinaires sont capables.

Si par inadvertance on apprend qu'un justiciable est de droite, le connard de facho ainsi démasqué aurait tort de redouter une quelconque animosité de notre part. Son cas serait bien entendu traité avec la plus grande équité (alors même que c'est un sale porc de droite qui mériterait de se faire botter le fion avec une batte de base-ball incandescente). Maintenant, on n'est pas des saints. Nous avons une conscience, une déontologie, des opinions. Une fois le jugement équitable rendu, on regagne nos bureaux privés où l'on se défoule sur nos têtes de Turcs au lieu d'intérioriser des frustrations. Quoi de plus normal et, j'ajouterai, de plus sain ! *Idem,* le pédophile a le droit de se salipoter dans les toilettes publiques (à condition de fermer la porte) ; la masturbation est une pratique privée, souvent bénéfique, disent les médecins ; se toucher en pensant à des prépubères que l'on fait coulisser le long de sa tige soulage la tension artérielle et nerveuse, et, une fois regagnés les pénates de la société, on est d'autant plus apte à rester dans le droit chemin de la loi.

Soyons clairs, la création de notre « mur des cons » découle de l'existence même des ordures dont on a collé ici la photo ; si un reproche quelconque devait être formulé dans cette affaire, c'est à eux et à leurs mères, engrossées par Satan, qu'il faut l'adresser ; qu'ils cessent d'exister, et hop !

Un mot maintenant sur le vilain fripon qui est venu chez nous pour voler ces images privées dans le but évident de perturber notre digestion et faire le jeu de tous les miasmes — il faut que vous sachiez, les enfants, que, pour les forces diaboliques de droite, le moindre prétexte futile est bon pour nous salir. Toi, l'odieux chacal, tu ne perds rien pour attendre, on pense à toi très fort tous les jours. Tu voulais rester anonyme, comme on te comprend, quand on sait ce qui te pend au nez ! Mais c'est raté. Les délateurs de *Libération,* de France 3 ont bien fait leur devoir — qu'ils soient bénis, car ils marchent dans la voie étincelante des justes —, et te voilà exposé en pleine lumière, parasite ! Il est tout de même inimaginable que France 3, avec l'argent des contribuables, serve de refuge à un journaleux de ton espèce, étiqueté à droite. C'est intolérable, une atteinte à la démocratie, une honte qu'on ne saura tolérer longtemps ! Bientôt sonnera l'heure des comptes, et on te verra, petit monstre, ployant sous la colère du peuple, quitter en rampant le service public que tu as sali par ta présence ; un tatouage indélébile sur ton front, Caïn, indiquera à tous les véritables amis de la justice où ils doivent cracher. Bienvenue à ta fête !

Alors, dégoulinant de morve que l'on espère tuberculeuse, tu goûteras pleinement notre humour de potache. »

LA MORT DU STRAPONTIN

Consternation dans le RER B. Le train arrive, je monte et me retrouve dans un wagon flambant neuf, d'apparence spacieuse — « il manque quelque chose », me dit tout de suite mon instinct. C'est censé être beau, décoré dans les tons jaune sale, avec des sièges couverts de moquette aux motifs « laideur 1990 », tout en dessins qui se veulent géométriques et modernes mais qui ressemblent davantage à une accumulation de paramécies géantes (si celles-ci étaient capables de vomir des triangles arrondis bleu clair). Ça vient de sortir et c'est déjà irrémédiablement ringard, de cette indigence esthétique que seule une bureaucratie surpuissante et démocratique est capable de produire. On peut parier que chacun a eu son mot à dire, depuis le directeur général de la RATP jusqu'au représentant de la CGT cheminots, que l'agence de design a fait des tests, et que c'est précisément ce modèle atroce qui a recueilli le plus de suffrages, sinon l'unanimité.

Renseignement pris, cela fait déjà deux ans qu'elles existent, ces rames, même si la contagion à l'ensemble du réseau a pris du temps, et que tous les trains ne sont pas encore amochés (mais on y sera à l'horizon 2014, n'ayez crainte). Dieu m'ayant préservé, je n'ai pas été souvent dans le RER ces derniers mois, alors forcément je réagis en touriste, je découvre l'étendue des dégâts. Non que j'y tienne particulièrement, aux anciennes rames bleu, blanc, rouge, ni que, en réac vieillissant qui voit les grammes des années se déposer sur la ceinture abdominale, je sois opposé à tout changement *per se,* mais il y avait un détail dans les anciennes rames qui me plaisait bien — le strapontin.

Terminé, le strapontin. La bureaucratie lui a envoyé sa lettre de licenciement. Viré pour cause d'incivilité — à notre époque, la plus infamante des accusations. « C'est une décision mûrement réfléchie : l'incivilité en période d'affluence rendait parfois difficile la sortie des voitures, notamment à cause de ces sièges », a tranché Séverine Lepère, directrice de la ligne B, dans *Le Parisien*. À cause de quelques blaireaux qui restent assis alors que le sens civique commande de s'entasser debout, on a fait table rase. On a jeté le strapontin avec le blaireau. On a capitulé. On avait résisté pendant des années (depuis 1956, pour être précis, et l'introduction des strapontins dans les premières rames à pneus) ; mais il faut croire que le pignouf 2010 est d'une autre trempe que celui de 1956. (Aurait-il muté, comme mutent les bactéries, en un ignoble super-blaireau multi-résistant à force d'être gavé d'instruction civique ?)

En échange, on n'a pas mis de places assises, ça, non. On a créé du vide. Pour que davantage d'usagers puissent s'agglomérer. Résultat : trente-deux sièges en moins par wagon. Aujourd'hui, pour avoir une chance de poser ses fesses, il faut soit monter au terminus dans un train vide, en bousculant son monde pour se précipiter vers ce nirvana réservé à l'élite, soit travailler de nuit et voyager avant 7 heures du matin.

La mort du strapontin, on peut le parier, se propagera dans les années qui viennent au reste du métro, suivant le cycle digestif d'une bureaucratie convaincue de sa mission moralisatrice. Lentement mais sûrement, la civilité nous sera imposée d'en haut. L'étape ultime étant la suppression de tous les sièges, au nom de l'égalité des usagers, afin de rendre enfin aux rames leur vocation de wagons à bestiaux.

LE HANDICAPÉ COUPE-FILE

Le groupe Disney a lancé une enquête après avoir appris que de riches habitants de Manhattan louaient les services de guides handicapés pour éviter les files d'attente du parc d'attractions Disney World, en Floride. « Ma fille n'a dû attendre qu'une minute avant de monter dans une attraction, alors que les autres enfants devaient attendre deux heures et demie », déclare ainsi une cliente. La société Dreams for America propose cette prestation pour quelque 130 dollars de l'heure, une façon de passer outre le pass VIP que propose Disney, qui coûte 3 000 dollars par jour. (Le Figaro, 16 mai 2013.)

Patatras, monde injuste ! Voici qu'une société dynamique conquiert un marché nouveau en proposant un service de qualité, voici que des handicapés auto-entreprenants se lancent dans un bizness original au lieu de sucer des allocations en regardant Fox News, et voilà que tombe la sanction : une enquête est ouverte, des jaloux se plaignent, les journaux s'en mêlent et l'on procède dare-dare à une dékoulakisation d'une entreprise innovante. On se croirait en France ou dans un autre pays à vocation socialiste, où la libre entreprise est brimée à la racine, les pigeons plumés et la crémière rackettée par l'État pour payer une CSG confiscatoire sur le beurre qu'elle met au chose. À croire que les Américains n'ont pas de chômage s'ils se permettent de traîner aux gémonies des emplois aussi grassement payés ! Les handicapés de là-bas ont sans doute l'embarras du choix pour trouver du travail, car comment expliquer autrement un tel laxisme, confinant à la faute, quand la société refuse à un pauvre diminué les moyens d'une subsistance honorable ?

Nous, en France, on récupère volontiers ce que jettent les Américains, ou, à défaut, on le copie. Johnny a recyclé Cy Coben ; à l'heure où la crise essore nos chômeurs, on devrait faire preuve de pragmatisme et reprendre cette magnifique idée de Dreams for America, laissée à l'abandon par les pourris-gâtés de l'ultralibéralisme. Une start-up, Dreams for France, serait créée par le ministère du Redressement productif, sur fonds stratégiques de la BPI (Banque publique d'investissement), pour en faire une pépite technologique pouvant bénéficier, grâce à Oséo, du préfinancement du crédit d'impôt recherche, tout en déposant à l'INPI le principe astucieux du coupe-file.

Car il y en a des files d'attente chez nous, où avoir un handicapé sous la main serait bien utile. Disneyland Paris, cela va de soi, mais aussi la

SNCF, pour un accès plus pratique aux trains, avec porteur de bagages, le Louvre et sa queue interminable, sans même parler des guichets de La Poste ou des sièges dans le métro. À condition de ne pas se plaindre, de présenter correctement une incapacité de facture discrète (pas trop dégoûtante), de ne pas être un boulet aux basques du client — traîner avec soi un aveugle ou un cul-de-jatte au sommet de la tour Eiffel nécessite bien de l'abnégation —, un handicapé saura s'inscrire avec bonheur dans la dynamique du vivre ensemble, sensibilisant les valides à sa condition tout en valorisant son handicap, devenant chaînon actif de la vaste aventure humaine et contribuant au PIB, au lieu de croupir, comme l'ours blanc au zoo, dans des cases que lui réservent des entreprises « socialement responsables ».

Aux tristes sires qui nous reprocheraient je ne sais quelle légèreté morale, on répondra seulement ceci : mixité sociale. Et valeur d'usage. Car, une fois entré dans les mœurs, gageons que le handicapé coupe-file deviendra vite indispensable.

ÉQUIPONS NOS ÉCOLES

Le drapeau de la France sera donc fièrement planté à l'entrée des écoles. Avant ou après le portique détecteur de métaux ? La question est délicate. S'il est placé avant, voire carrément sur le fronton comme le voudraient certains, on prend le risque d'accroître le vandalisme, notre emblème pouvant subir l'incendie volontaire ou la fauche. A-t-on besoin de jouer la provocation en agitant une muleta tricolore devant nos gamins déboussolés, dont certains ne sont pas venus devant l'établissement pour y entrer et recevoir leur dose d'instruction, mais pour dealer ou racketter ? Ne risque-t-on pas de les énerver davantage, de les pousser à des actions contraires au civisme qu'ils regretteront ensuite devant le juge ?

S'il est placé après le portique, il sera certes mieux protégé, mais d'aucuns crieront à l'autocensure, à la capitulation coupable devant les ennemis de la République, à la lâcheté. Pourquoi mettre un drapeau, si on le cache comme une partie honteuse ? Aucune précaution au monde n'empêchera l'emblème national de recevoir son lot de crachats (pour ne pas parler d'autres écoulements physiologiques) s'il est placé à portée des élèves, alors autant le mettre dehors.

La solution du bon sens serait de garder le drapeau dans la salle même où sont disposés portique de sécurité et vigiles. Ainsi son allure majestueuse guiderait-elle l'enfant dès son entrée dans l'enceinte scolaire, sans constituer une cible facile pour autant. La devise de la République pourra, elle, se fixer dehors, sur la façade, à condition de la visser suffisamment haut pour éviter les tags désagréables et autres graffitis de nos jeunes artistes.

En résumé, par ordre pédagogique d'entrée en scène, on aura : 1. la devise ; 2. le portique ET le drapeau ; 3. l'enregistrement en boucle de *La Marseillaise*. Celle-ci sera diffusée dans la cour à partir d'un haut-parleur recouvert d'une grille fine de sécurité, type camion de CRS, difficile à endommager par jet de pierres. Son action musicale sera des plus bienfaisantes sur nos chérubins, purifiant leur esprit avant le grand saut éducatif et sensibilisant leurs fragiles neurones aux merveilles de l'instruction civique, premier cours obligatoire de la matinée. Ensuite viendront : 4. la statue de Jean Jaurès et son réceptacle à exorcismes, grande boîte en métal munie d'une fente où l'on sera prié de laisser les grigris personnels évoquant un culte religieux autre que l'athéisme, tels que croix, foulard, kippa, turban sikh, figurines de Star Wars, etc. ; et 5. la silhouette de Jean Moulin, reconnaissable à son feutre et à son écharpe, gravée en hologramme sur chaque porte de classe (annule et remplace la lettre de Guy Môquet, passée de mode).

À la récréation, un chien dressé à détecter la drogue sera laissé sans muselière dans la cour ;

à son signal, des recherches complémentaires pourront être entreprises sur les petits passeurs — le personnel d'infirmerie sera formé au toucher rectal, dit « toucher citoyen et laïque ». Ainsi choyés, les enfants pourront se consacrer à l'apprentissage des liens républicains et à la prise d'ascenseurs sociaux.

Le distributeur de préservatifs sera placé entre Jean Jaurès et Jean Moulin, ainsi que la conseillère d'orientation IVG ; leur emplacement précis ne donnera lieu à aucune directive du rectorat et sera laissé à l'appréciation du chef d'établissement.

PANTHÉON UN JOUR,
PANTHÉON TOUJOURS

Au moment où Moulin ne se maîtrise plus, il se retourne, baisse son pantalon et exhibe son cul à Brossolette en s'écriant : « Voilà comment je vous considère ! » {...} La haine entre les deux hommes était si forte de leur vivant qu'il serait indécent de leur imposer une cohabitation post mortem.

(Pierre Péan, *Le Monde*, 31 mai 2013.)

PIERRE BROSSOLETTE : Bonjour à vous, ô morts célèbres ! J'ai vu de la lumière, je suis entré. C'est pas mal comme adresse, bien situé, néoclassique. La Sorbonne, Normale sont à deux pas.

JEAN MOULIN : Je sens comme une odeur sucrée, nauséabonde… Sûrement un macchabée de plus qu'on nous amène. Comme si l'on n'était pas déjà assez serrés comme ça. Heureusement que cette couille molle de Camus a refusé. Je bénis son snobisme libertaire. Tout dans la pose, le Camus. Tant pis pour lui.

PIERRE BROSSOLETTE : J'entends des voix…

JEAN MOULIN : Par mon écharpe grise, mon feutre classieux, mes trente-trois brûlures de cigarettes nazies et mes dents explosées à coups de marteau !… Toi, ici !… Tu ne viens pas squatter sur ma gloire, tout de même ?

PIERRE BROSSOLETTE : C'est bien ma veine, on cherche un coin tranquille et l'on tombe sur les morpions de la Résistance.

JEAN MOULIN : Pincez-moi à la pince Barbie, je rêve ! Il ose ouvrir le clapet alors qu'on ne l'a pas invité ! Moi, qui suis ici depuis 1964, pistonné par monsieur Malraux en personne. Et toi, t'es qui ?

PIERRE BROSSOLETTE : Sans me vanter, j'ai fait dix fois plus pour la Résistance concrète que les ronds-de-cuir de ton espèce. Au lieu de passer mon temps à mettre en place des échafaudages bureaucratiques, des lignes de commandement, des magouilles politicardes, des alliances subtiles, j'ai imprimé et fait diffuser des tracts, j'ai servi de « boîte aux lettres », j'ai donné des renseignements aux Alliés, j'ai même caché une grenade — tu sais, c'est comme une grosse boule de pétanque avec une tirette et ça fait *boum* !

JEAN MOULIN : Jaloux ! Ce qui compte, c'est qu'à l'arrivée j'ai cinq fois plus d'avenues à mon nom, et je ne parle même pas des squares, écoles, médiathèques, crèches et arrêts de bus. Ouvre n'importe quel manuel scolaire, je suis dedans ; soulève la pierre, je suis sous la pierre (brossolette).

PIERRE BROSSOLETTE : Difficile de faire mieux, ou pire. Tu es l'exact opposé du bouc émissaire ; tu es ce faux prophète dont la nation a parfois besoin pour s'unir autour d'une mythologie largement inventée.

JEAN MOULIN : Monsieur Malraux, monsieur Malraux, il y a Brossolette qui dit des mauvaises choses sur la France !

ANDRÉ MALRAUX : Te laisse pas impressionner, petit. Il n'a aucun droit au Panthéon. Il n'est ni une femme ni issu d'une minorité, son admission ne respecte ni la parité ni les quotas en vigueur dans l'air du temps, et, en plus, il était fumeur.

JEAN MOULIN : Le sagouin !... Mais, monsieur Malraux... Nous aussi, on fumait beaucoup. Le nombre de photos où l'on vous voit la clope au bec...

ANDRÉ MALRAUX : Tais-toi, inconnu. Tes cendres, on n'est même pas sûr que ce sont les tiennes. Alors on arrête de cafter sur les copains. Sinon, je vais sortir une phrase incompréhensible comme je sais faire — « le passage de la spiritualisation à celui de l'idéalisation, etc. » — et vous me ferez deux copies doubles de bachot !

JEAN MOULIN et PIERRE BROSSOLETTE : Pitié, monsieur Malraux ! On ne se chamaillera plus, c'est promis !

DISSOLUTIONS

Dans le cadre de la lutte contre le fascisme, suite à l'agression de nos valeurs par les effluves sombres venus de la cave humide que l'on croyait bouchée pour toujours, nous prenons la décision de dissoudre les JNR — Jeunesses nationalistes révolutionnaires. Disons-le solennellement : ce groupuscule n'a plus de place dans la communauté des gentils, et ils peuvent pleurer tant qu'ils voudront, on n'ira pas les plaindre, même s'ils font marcher l'économie en payant la TVA sur les tee-shirts Fred Perry.

Les JNR s'étant réorganisés en FNRC — Front national révolutionnaire de combat —, nous dissolvons aussi cette entité nauséabonde sans attendre des provocations de leur part, car la démocratie n'a pas à se laisser marcher sur les pieds par des extrêmes chaussés de Dr Martens aux extrémités. Nous resterons fermes sur ce sujet, dans le cadre fixé par les institutions.

Des bruits de couloir nous informent que certains membres influents du FNRC se sont réorganisés en MNSA — Mouvement national-socialiste d'avenir —, nous ne saurons tolérer cette engeance parmi nos citoyens au sens civique exemplaire. En conséquence, nous exigeons la dissolution du MNSA, avec interdiction de réunions nocturnes, marches aux flambeaux et piratage illégal de disques de Wagner. Nous serons d'une conviction inébranlable sur ce point.

Par ailleurs, d'autres membres dissidents du feu FNRC ont lancé le GIPEB — Groupement international pour la purification ethnique et bolchevique. Ils sont reconnaissables également à leurs polos Fred Perry de couleur sombre, mais moins foncés que ceux des JNR. Nous exigeons la dissolution de ce groupuscule dangereux, la confiscation de leur carte de fidélité Dr Martens, ainsi que de tous les DVD de *Portier de nuit* que l'on trouvera lors des perquisitions. Qu'on se le dise : les attitudes xénophobes, marquées par le sectarisme et le déni du vivre ensemble, n'ont pas leur place dans la République.

Attention toutefois aux amalgames. Les garçons et les filles portant du Fred Perry manches longues n'appartiennent pas forcément au GIPEB, mais plutôt à la LRCON — Ligue raciste et communiste de l'ordre nouveau —, dont nous demandons la dissolution immédiate, suivie de la réduction des manches à une longueur comparable à ceux du GIPEB, dans un souci d'égalité de tous les citoyens devant la justice. Les forces du ministère de l'Intérieur chargées de leur surveillance veilleront à éviter les discriminations.

Afin d'éviter la faillite et les plans sociaux consécutifs à la baisse du chiffre d'affaires des entreprises Fred Perry et Dr Martens, ce qui se traduirait par une hausse du chômage, vecteur de désœuvrement et de tentations extrémistes, ainsi que par une baisse des recettes pour l'État, il est recommandé aux collectivités locales d'organiser une vente hebdomadaire de tee-shirts « Stop à l'intolérance » et « Je mange un radis par jour » que les citoyens seront encouragés à acheter et à porter les jours pairs du calendrier, les jours impairs étant réservés aux polos « Fumer tue » et « Avec le Che, préservons nos acquis sociaux ».

Toute cette activité ne saurait nous distraire de la vigilance vis-à-vis des symboles extrémistes, tatoués, percés ou autres, notamment sous forme de croix gammée, qu'il est interdit de montrer ou de reproduire devant des enfants (les cours de géométrie ne faisant pas exception), sous peine de stérilisation immédiate des contrevenants, de destruction des supports ainsi souillés et de mise en place de cellules de soutien psychologique.

L'INSOUTENABLE LAIDEUR DU SPORT

Jamais à court d'idées quand il s'agit de dépenser notre argent, le Sénat a une nouvelle fois frappé dans le tambourin populiste en organisant une énième exposition de photos sur les grilles du jardin du Luxembourg, où ces gigantesques îlots de laideur et de démagogie seront vissés jusqu'au 27 juillet avec le soutien de *L'Équipe*. Le thème se veut consensuel : la 100e édition du Tour de France. Beau programme. Une célébration du sport dans ce qu'il a de plus épique, Bobet, Anquetil, Hinault, qui serait contre ?

Se pose néanmoins la question du sens d'une telle manifestation. Une image géante accrochée à une grille de jardin, disponible gratuitement à la vue de tous les badauds, ce n'est jamais innocent. Autant personne ne vous force à lire *Charlie Hebdo* ou *Bisou* — le nouveau venu de la presse crétino-féminine —, autant ceux qui passent rue de Médicis n'ont aucun moyen d'éviter la grille du Luxembourg, sauf à caler le regard dans le trottoir. Les clients du Rostand, les amoureux, les touristes, tous doivent s'y soumettre : prenez-en plein les mirettes, que vous le vouliez ou non, c'est gratuit, c'est sport !

Sur les façades des mairies, un peu partout en France, Ingrid Betancourt et Florence Cassez nous ont rayé les yeux, maintenant, au Luxembourg, le Tour de France : regardez, on vous dit. Comment ? Vous n'aimez pas le cyclisme ? Vous haïssez la photo ? Vous n'êtes pas d'humeur ? Quel mauvais coucheur vous faites ! Et pas un gramme de reconnaissance ! N'avez-vous aucune conscience des efforts consentis par la collectivité pour colmater votre indigence ? Alors qu'ils auraient pu claquer davantage en petits-fours, les sénateurs, ne pouvant plus serrer leurs dents du fond qui baignent, dépensent pour votre bien-être visuel, larves ingrates ; la nation investit dans votre vie spirituelle, qui, sans l'intervention du Sénat, serait d'une vacuité sidérante et ne se douterait même pas que le Tour existe !

On se régale, au Luxembourg. Ces beaux fessiers serrés dans d'élégants préservatifs bleus saturés de marques et de slogans ! Ces jolis casques à trous, ces mollets rasés de près, ce troupeau qu'on appelle « peloton », et l'envahissant bordel de la caravane ! Le jaune « Crédit lyonnais » en assaisonnement ! Les photos n'ont pas de prétention esthétique (c'est toujours ça de gagné) ; c'est le vécu du Tour qui est affiché ici dans sa parfaite banalité — les pauses, les chutes, les cols, la foule, les caméras, les buvettes. Manquent les cachets d'EPO et les seringues de testostérone.

Seule consolation, on nous a collé aussi des photos anciennes, des années 1920, 1950. Histoire de montrer que le Tour est dans l'ADN de la France comme Maurice Chevalier, La Vache qui rit, le pavé sous le bitume, la bonhomie populaire des congés payés. Pour que le message soit encore plus limpide, les photos anciennes et modernes sont mélangées. On passe de 2012 à 1935, puis à 2010, puis à 1922, ainsi de suite. Grâce à quoi, force est de constater l'absolue dégénérescence du cyclisme, et, par analogie, du sport en général, en l'espace de quelques décennies. Les coureurs de 1935 n'étaient pas des hommes-sandwichs de la réclame ; n'étant pas encore des machines aérodynamiques calibrées pour gagner, ils avaient une silhouette humaine, chacun portait autour du cou ses propres pneumatiques de rechange, et, dans de rustiques paniers fixés sous le guidon, on traînait ses bouteilles d'eau.

Il était une fois le sport, soupire-t-on. Et une grille du Luxembourg vide.

RÉTABLIR L'AUTORITÉ

Intérieur de bunker, crépuscule. Murs en béton, décor minimaliste. Une ampoule écologique de 12 watts pend du plafond sur son long fil jaune. Elle éclaire d'une lumière blafarde une vieille table cabossée, type « bureau de cadre 1990 ». Sur une chaise branlante est assise une figure humaine, les mains liées dans le dos, le haut du corps et la tête couverts d'un sac en toile noir. Quand on s'approche, on comprend que c'est une femme : on remarque le tendu de la jupe, le galbe des mollets, les escarpins.

Des hommes masqués entrent par la porte du fond. On aperçoit Popeye, Donald, Yasser Arafat, Barack Obama. Costumes, cravates, bedaines de la soixantaine. Ils hésitent, visiblement gênés, puis l'un d'eux, affublé d'un masque de François Hollande, s'avance vers la femme. Il parle d'une voix déformée par un système électronique, ce qui la rend grave et traînante, avec parfois une pointe d'hystérie.

L'HOMME : Nous t'avons convoquée, Batho, car tu as fauté. Tu t'es plainte de ton sort. Tu comprendras que, face à cette haute trahison, tu ne fais plus partie de la famille.

LA FEMME (sanglotant) : Je ne l'ai pas fait exprès. C'est ce journaliste de la radio, il insistait, insistait…

L'HOMME : Mauvaise excuse, ça. On les connaît, les journalistes. Il n'est pas difficile de les embobiner avec une phrase-lasso, du genre « en cette période de crise pour tous les Français, mon ministère va néanmoins de l'avant », ou bien « je crois, au contraire, que mon budget a augmenté, car il ne faut pas s'arrêter aux chiffres », ou bien « vous oubliez l'écotaxe poids lourds et les arbi-

trages patati patata ». Si tu étais complète-
ment à sec, une simple déclaration de foi
aurait suffi : « L'écologie est une exigence
absolue », comme ton successeur Philippe
Martin l'a joliment formulé. Tu aurais
même pu tenter un « c'est la faute à Sarkozy
et aux années sombres », un peu désespéré,
certes, mais de bonne guerre. Mais non, tu
as choisi de geindre, tu as bravé l'autorité
paternelle du président, petite fiente, et tu
sais la sanction qui t'attend.

LA FEMME (soudain hargneuse): Vous n'oserez
pas ! C'est du bluff. Vos alliés écologistes
seront humiliés. Ils ne voudront plus être
vos copains, ils ne vous prêteront plus leurs
billes, ils ne troqueront plus de sièges avec
vous !

L'HOMME (après un rire gras): C'est qu'elle
mordrait, l'utopiste. Que va-t-elle nous
inventer ? Mais ils nous mangent dans la
main, les Duflot, Canfin, Durand. L'appa-
ratchik Placé, si on lui proposait un poste
de sous-secrétaire à la gestion de la poudre
de perlimpinpin, serait le premier à vendre
un rein, un œil pour y grimper. Si tu savais,
pauvre cloche, qui m'a téléphoné ce matin
pour quémander ton poste...

LA FEMME (avec l'énergie du désespoir): Vous
ne pouvez faire ça à une femme ! Que
faites-vous de la parité, symbole du quin-
quennat ?

L'HOMME (ennuyé) : Crotte, on n'y avait pas pensé… Montebourg ! T'as une idée pour redresser ça ?

Un type en masque de Popeye s'approche et lui parle à l'oreille.

L'HOMME : Excellent ! On dira à Philippe Martin de passer à la clinique pour une petite opération, suivie d'un traitement hormonal. Ça tombe bien, finalement, il nous manquait un trans dans l'équipe… Allez, on ne va pas s'éterniser.

L'homme fait un signe. La femme crie. Popeye sort un silencieux et lui loge une balle dans la nuque. La lumière crépite et s'éteint.

PARIS, CAPITALE DE LA BITTTE

Heureux habitants de Paris, avez-vous seulement une vague idée de la veine que vous avez ? Tous les jours, que vous alliez à Pôle emploi ou au centre des impôts, des milliers de bitttes aux trottoirs se dressent sur le chemin de vos tibias, cognent vos poussettes et Caddie, contrarient les aveugles, empalent les ivrognes et font lever la patte des clébards. Trottoir de Paris, royaume de la bittte. La remarquez-vous seulement, monstres ingrats ? Même pas, vous vous y êtes habitués. Le pilotage automatique fait que l'on navigue entre les récifs de sa dense verticalité sans y faire plus attention que ça. Moi, c'est un ami allemand de passage à Paris qui m'a réveillé. Il n'était pas venu depuis une quinzaine d'années, je le voyais abasourdi. Il ne regardait plus nos monuments, il fixait le trottoir. Se promener dans une forêt de barres métalliques le déconcertait. Il doutait de leur valeur esthétique. Il se demandait, le Boche, si cette éruption cutanée (parfois surmontée d'une élégante pustule blanche du plus joli effet) était bien utile.

L'affaire est entendue : sans bitttes aux trottoirs, il y aurait des voitures sauvages garées partout. Vous savez comment sont les gens, ma p'tite dame. La beaufitude et les incivilités ne demandent qu'à triompher. Ach ! on le sait, le Français n'est pas aussi obéissant et discipliné que l'Allemand. Les gendarmes et les punitions ne lui suffisent pas. On peut le prendre par la main, lui tirer l'oreille, le taper préventivement, mais le mieux est encore de créer une impossibilité matérielle de faire des bêtises. Une ceinture de chasteté en métal incassable. Un mur infranchissable contre ses pulsions égoïstes. Difficile de nier que, de ce point de vue, la bittte est une réussite. Admirez le résultat. Éblouissez-vous. Aucune voiture sur les trottoirs du boulevard Magenta. Aucune sur ceux de la place de la

République, ni même dans la sinueuse rue Lepic, où l'on a pris soin de planter plusieurs centaines de bitttes-sentinelles, qui veillent, de jour comme de nuit, à notre virginité citoyenne.

Chaque bittte est un pas de plus vers le civisme d'airain. Paris, modèle du comportement responsable imposé. Débauche de moyens pour une fin jupitérienne. Vision d'un futur idyllique. La bittte de Paris est un totem pour les adorateurs du décret, ces rouages « énacratiques » qui rêvent de modifier les comportements par ordonnance. Mais il n'y a pas que Paris, évidemment. Toutes les villes de France ou presque ont été touchées par la grâce. La contagion se propage dans les réplicateurs sans imagination des collectivités locales. Pourtant, un pays qui a été capable de bâtir la ligne Maginot devrait réfléchir à deux fois, semble-t-il, avant de se lancer dans la construction de barrières.

Ne boudons pas le plaisir de la bittte. Étendons le concept. Déployons la stratégie de prévention des comportements nuisibles à d'autres domaines. Je verrais une certaine utilité à enrober de barbelés les troncs des platanes pour que les cupidons vandales ne puissent y graver des cœurs. De même, afin d'éradiquer définitivement la racaille de banlieue, il serait judicieux de menotter d'office tous les habitants mâles des quartiers sensibles dès leur entrée en puberté. Ainsi protégés contre eux-mêmes vingt-quatre heures sur vingt-quatre, ils seraient contraints de s'épanouir dans des activités légales, et casseraient moins de vitrines lors des fêtes populaires que l'on ne manquera pas d'organiser pour célébrer comme il se doit l'avènement du civisme obligatoire.

EMPLOI DU TEMPS

Des membres du personnel de l'Élysée ont eu la surprise d'apercevoir Valérie Trierweiler, à genoux, en train de faire les paquets de jouets et de livres pour les enfants maliens. (*Le Parisien,* 27 juin 2013.)

Lundi. Petit déjeuner avec la photo de Nelson Mandela. Céréales complètes, fruits secs, beaucoup d'eau pour la ligne. Ne pas oublier d'emporter une banane. Séance de mise en plis avec Noémie. Jogging en chambre, puis lecture approfondie de *Elle.* Déjeuner avec François, mise en chantier du planning des vacances. Grèce ? Maillot Eres ? Après-midi : sieste aux oligoéléments, relaxation, massage. Visite à l'ONG la Chaîne de l'espoir. Avec son aide, trouver un enfant malien blessé à la guerre. Lui donner la banane.

Mardi. Qui dit maillot dit épilation. En parler au petit déjeuner avec Noémie. Une-pièce ou deux-pièces ? Quelle couleur ? Convocation du général Lemarchand, de la DGSE : diligenter une enquête sur le maillot de Royal, puis séance de punching-ball pour déstresser. Lecture de *Marie Claire*, mise à niveau shopping : le rayé est-il définitivement *has been* ? Après-midi : accueil de Scarlett Johansson à Paris (demander autographe). Tenter une robe portefeuille *nude* ornée de fleurs printanières. Escarpins vernis à talons aiguilles. Visite de petits amputés syriens à l'hôpital du Val-de-Grâce. Leur montrer l'autographe. Prévoir bise et tenue de main (non amputée). Noter le nom de l'enfant sur un ballon, dit « le ballon de l'espoir », et le faire s'envoler vers le ciel à la sortie de l'hôpital.

Mercredi. Débriefing avec un conseiller en communication. Thème : « reconquête de l'opinion » et « je deviens un atout ». Rédaction d'un communiqué contre le viol des femmes en Afrique subsaharienne. *Brainstorming* sur le nom d'une nouvelle association que l'on pourrait lancer en ce sens. Sont retenus en *short list* : « Un sourire pour de l'espoir », « SOS espoir violé » et « Pissenlit blanc ». En parler à François. Après-midi : sieste aux graines de soja, méditation feng shui. Choix du maquillage avec Noémie pour le prochain voyage officiel. Rejet de l'option « Pissenlit blanc » — car *quid* de l'espoir ?

Jeudi. Séance de stretching, puis petit déjeuner réparateur. Rédaction d'une réponse-type pour toutes sollicitations, demandes, suggestions des fans. Compte rendu du général Lemarchand. Prévoir défouloir — poupée vaudoue Royal + aiguilles à tricoter. Utiliser ces instruments pour terminer le tricot d'un bonnet. Après-midi : faire porter le bonnet à un handicapé pour une remise solennelle. « Le bonnet de l'espoir sensibilise les citoyens à la problématique de l'accessibilité des lieux publics aux personnes à mobilité restreinte » — apprendre cette phrase, pour une diction naturelle, toujours dans l'élégance.

Vendredi. Sobriété et simplicité pour une journée marathon : tailleur-pantalon noir, escarpins couleur taupe d'Anne Valérie Hash, sac lune Vanessa Bruno. Transfert en taxi banalisé précédé d'un escadron de gendarmes vers Fleury-Mérogis. Rencontre avec deux détenues. Leur offrir un abonnement à *Paris Match,* « l'abonnement de l'espoir ». Déjeuner à la cantine pénitentiaire, puis visite des ateliers de peinture sur soie des petits myopathes de l'ONG Cœur d'artichaut, suivie d'une dédicace du livre d'or de l'association Un jouet pour un sourire. Retour à l'Élysée. Hammam, douche vivifiante, soin pour le corps au lait de raisin.

Samedi et dimanche. Relâche.

NENFANTS À MATIGNON

Les jardins de Matignon avaient ce lundi un air de colonie de vacances. Des cars ont d'ailleurs défilé toute la matinée rue de Varenne. Pour sa rentrée, Jean-Marc Ayrault a souhaité accueillir un public peu coutumier des lieux de pouvoir : 300 enfants privés de vacances. (Le Parisien, 12 août 2013.)

Viens ici, petit nenfant privé de vacances. Comme tu es chou ! Tes camarades sont partis, certains à la mer, d'autres à la montagne, alors que toi, tu es resté avec tes parents chômeurs ou ta grand-mère en minimum vieillesse, et je lis dans tes yeux purs, remplis de larmes, que tu es désemparé, tu te poses des questions sur la justice sociale dans ce beau pays dont j'assume la responsabilité. Eh bien, sache que le gouvernement n'est pas insensible à ta détresse. Comment le pourrait-il, alors que tu es l'avenir de notre pays, sa sève montante ?

Commence par prendre une sucette, petit nenfant privé de vacances. Vas-y, n'aie pas peur. Laquelle te ferait plaisir ? La bleue ? La rose ? Aujourd'hui, c'est toi qui choisis, c'est toi le chef. Te gêne pas, pendant que Moscovici ne nous voit pas, prends-en une en rabe pour ce soir, tu la donneras à tes vieux, moussaillon, ou tu la mettras de côté pour Noël. Alors, c'est qui le plus chanceux ? C'est qui le veinard qui a déjà séché ses larmes et qui affiche maintenant un sourire arc-en-ciel ?

Et ce n'est pas fini, ta journée de rêve ne fait que commencer ! Place à la musique ! Veux-tu un cours de djembé gratuit ? Connais-tu la zumba ? Des professeurs venus exprès sont à ta disposition. Pour que tu saches, petit nenfant privé de vacances, que Matignon ne rime pas avec grognon, ni avec tatillon. La rentrée venue, tu pourras le raconter à tous tes camarades, cet endroit enchanteur où tu as été, toi, le paumé, un pays de cocagne où ils ne mettront jamais les pieds, ces pourris-gâtés qui sont partis en vacances, un lieu inaccessible à moins d'avoir beaucoup de chance ou de sortir de la botte de l'ENA, na-na-nère, et que toi, petit rebut de la société, tu as déjà foulé.

Mais on ne fait pas que s'amuser à Matignon, mon bonhomme. On y travaille aussi pour le bien et la grandeur de la France. Tu vois ce cahier ? C'est là que l'on note les idées pour aider le pays, le cajoler. En ce jour solennel, je t'autorise à prendre un stylo et à y rédiger toi aussi ton idée ou ton vœu pour la France de 2025. Un jury composé de Pierre Bergé, de Benjamin Biolay et de Miss France 2013, placé sous le haut patronage d'Anne Lauvergeon, examinera les gentilles idées ; il en choisira une que l'on fera imprimer sur le prochain timbre de France. Car Matignon ne rime pas avec moignon, non plus. Voyons ce que tu as mis… « Que tous les nenfants puissent partir en vacances. » Ce n'est pas très original, et un brin gnangnan, mais bon, ce n'est pas plus con que les propositions de Peillon. N'oublie pas de signer. Et le stylo, il s'appelle reviens.

Assez travaillé, place au pique-nique. Tu n'as pas faim ? Prends le sandwich quand même, tu pourras le dealer contre des sucettes, à la sortie. Surtout, n'oublie pas de poser avec ma femme pour la photo officielle. Je t'enverrai une copie dédicacée que tu pourras accrocher au mur de ton F2 pourri mais digne, à Mantes-la-Jolie. Quand tu auras le spleen, tu pourras la regarder, et ce sera comme un splash d'ambroisie dans ton existence, où tu es si mal parti, petit nenfant sans vacances.

QUINZE VARIATIONS CANINES

Après s'être fait les dents sur un policier municipal en mars dernier, la chienne de la ministre Michèle Delaunay a cette fois attaqué un enfant de 9 ans.
(*L'Express*, 14 août 2013.)

1. Après s'être fait les dents sur un policier municipal en mars dernier, la ministre Michèle Delaunay a cette fois attaqué un enfant de 9 ans et sa chienne.

2. Après s'être fait les dents sur la ministre Michèle Delaunay et sa chienne en mars

dernier, un policier municipal a cette fois attaqué un enfant de 9 ans.

3. Après avoir perdu ses dents de lait, un enfant a cette fois attaqué la ministre Michèle Delaunay et sa chienne municipale de 9 ans sous les yeux d'un policier.

4. Après s'être fait une chienne en mars dernier, un policier municipal a cette fois attaqué la ministre Michèle Delaunay et son enfant de 9 ans et toutes ses dents.

5. Après avoir lu *L'Express*, un enfant de 9 ans s'est attaqué cette fois à la chienne de la ministre Michèle Delaunay, déguisé en policier municipal venu de Mars.

6. Après avoir mordu *L'Express* en mars dernier, une chienne ministre s'est fait attaquer sept fois par un enfant municipal, Michèle Delaunay, et un policier.

7. Après avoir montré ses dents à un enfant ministre, la chienne Michèle Delaunay a cette fois attaqué un policier municipal de 9 ans armé de *L'Express*.

8. Après avoir fêté ses 9 ans de chienne, la ministre Michèle Delaunay a cette fois attaqué un policier de *L'Express*, sans remarquer les dents de l'enfant.

9. Après s'être fait *L'Express,* un ministre municipal s'est attaqué au dernier policier,

nonobstant les cris de l'enfant de 9 ans et du chien de Mars.

10. Après avoir planté Michèle Delaunay dans l'enfant de 9 ans en mars dernier, la chienne du policier municipal a cette fois obtenu le rang de ministre des Dents.

11. Après s'être fait la ministre Michèle Delaunay et sa chienne, le policier a planté ses dents dans *L'Express* municipal et son enfant de 9 ans, natif de mars.

12. Après avoir lu *L'Express* du 14 août 2013, le mois de mars s'est fait les dents sur la ministre Michèle Delaunay, sa chienne et son fils de 9 ans, sans oublier un policier municipal.

13. *After having done his teeth on minister Michèle Delaunay, die Polizei hat diesen Mal sein Hund und ein neun-Yärige Kind, ha atacado* L'Express.

14. Après avoir mordu *L'Express* en mars dernier, les dents refaites de la ministre Michèle Delaunay ont été cette fois battues aux municipales, sans oublier l'enfant et le chien policier.

15. Une cellule psychologique municipale a été mise en place, après l'attaque de l'enfant de 9 ans et d'une chienne. Un policier et la ministre Michèle Delaunay sont cette fois sur place depuis mars dernier. Des dents ont été retrouvées par *L'Express*.

CHEZ LE PROFESSEUR SOUNOUNOU

— Bonjour, grand professeur Sounounou, héritier des mages médiums spirites et chamans sauteurs d'Afrique, je vous remercie de me recevoir aussi vite, je sais que vous êtes débordé, mais les Français demandent des solutions rapidement, et j'ai lu sur votre réclame, je cite : « Action efficace et rapide, met un terme définitif à vos problèmes même les plus désespérés, tu viens me voir ton cas est dépanné, réussite dans les affaires quels que soient la durée et l'anéantissement, dominez votre vie au lieu de la subir, travail sérieux, discrétion totale, paiement après résultat. » Ce qui tombe bien car les caisses sont vides.

— Mais c'est bien naturel, papa François. Installe-toi dans le sofa intangible. Fais comme chez toi, fais comme au Mali. Es-tu venu l'esprit pur ? As-tu forniqué en dehors des périodes de la lune ? As-tu sur toi le respect des trois chameaux ?

— J'ai apporté la déclaration de compte épargne logement d'Ayrault et j'ai noté ici le numéro de carte bleue de Duflot.

— Avec le code de sécurité à trois chiffres ? C'est excellent. Nous allons faire de la formidable divination. Car je vais te dire ton secret occulte, papa François : il faut commencer par te désenvoûter. Je sens autour de toi un mystérieux enchantement maléfique. Laisse-moi deviner…

Tu as croisé legba Copé, legba Fillon. Ils t'ont regardé avec le rictus putride du crocodile. C'est mauvais, ça, très pas bon. Pas étonnant que le chômage, il grimpe la montagne. As-tu pensé à te procurer un poil pubien de Frigide Barjot ?

— Je vais demander à Valls.

— On le collera avec de la cire sur le disque prodigieux, on placera quatre bougies blanches, deux vertes et soixante clous, symboles de notre détermination. Trempe tes doigts dans la coupole d'eau magnétisée, papa François. Fais le signe de la patte de lapin. Et maintenant répète après moi le texte que tu vois défiler au prompteur sacré.

— « Tu es mon refuge, ma citadelle, mon lwa Dieu en qui je place la confiance… » Dites, j'y pense, ce n'est pas très morale laïque. Si Peillon savait ça, je me ferais taper sur les doigts.

— Papa Peillon est un redoutable chasseur, mais papa François est un danseur bamboula aux mille fétiches, il ne faut pas l'oublier.

— Puisque vous le dites. Je continue : « Aucun legba ennemi ne saura te circonvenir, ni aucun malfaiteur t'humilier ; ma lwa bonté sera avec toi, et ceux qui te haïssent je les abattrai. » C'est bon, ça. Gare à tes couilles, Bachar el-Assad ! « Tu n'auras à craindre ni les terreurs de la nuit, ni les flèches qui voltigent le jour, ni la peste qui chemine dans l'ombre, ni l'épidémie qui exerce ses ravages en plein midi. » Je me sens déjà beaucoup plus rassuré. Et que puis-je faire pour le moral des Français ?

— Pour ça, je te donne aussi le talisman très formidable et invincible ici présent. Écoute-moi bien avec l'oreille, papa François : tu le places dans ton slip pendant la journée, il y frotte le caducée, et le soir, tu récupères la force en amour. Pendant toute la nuit, il tient ton petit serpent en mode Concorde décollage, et la femme blanche est contente. Tu sais, je connais ce genre de blonde que tu as ramassée. Elles veulent de la puissance quand tu les couvres. Procure-lui ce qu'elle cherche et tu verras, on l'entendra dans le pays. Quand la lionne est comblée, la savane s'attendrit.

SABOTACH UND CHPIONACH

Autolib' vient de porter plainte pour espionnage industriel auprès du procureur de Paris. Deux ressortissants allemands, pris en flagrant délit, ont été placés 24 heures en garde à vue par la brigade d'enquêtes sur les fraudes aux technologies de l'information (Befti) de la police judiciaire.

(*Le Figaro*, 9 septembre 2013.)

— Bince-moi, Hansel : c'est-y bas le fameux Autolib'-System qui bermet aux Barisiens de brendre une voiture sans Benzin et de rouler bartout ?

— Meine Großmutter la pute, aber tu as raison, Gretel. Das ist unmöglisch, en blein Baris, une merveille de la technologie, disponible bour tous! Schnell, j'appelle BMW et Mercedes-Benz bour savoir ce que l'on fait.

— Tu benses sabotach?

— Nicht sabotach aber chpionach. Ils sont trop bloucs les Französisch, sehr dummkopf: ils mettent leurs merveilles technologisch en bleine rue, on n'a blus qu'à nous servir. Basse-moi l'ordinateur, on va tout birater, ha ha ha.

— Aber vise blus loin, Hansel: ist das nicht l'incroyable Velib'System, où l'on beut brendre bicyclette bour bédaler, ja?

— Liebe Mutti la bonasse, das ist unser jour de chance, Gretel! On va birater leur avance technologisch bour des brunes, ha ha ha. Sais-tu, Gretel, que les Französisch ils ont les meilleurs Ingenieuren grâce à leurs großen écoles? N'oublie bas qu'ils ont inventé le Minitel, das ist ein Internet aber sehr besser als l'Internet, ils ont facile vingt ans d'avance dans tous les domaines. Der Concorde! Das Bull-Geschäft! Das Bi-Bop Telefon-System! Der Superphénix-Atomkraft-Zentrum! Die Aérotrain! Der Trottoir-Roulant-Rapide in der Montparnasse-Station! Die Maginot-Linie!... Et maintenant le Velib'System, mit bédales!

— Guck mal, Hansel: und was ist das? Cette große machine qui ressemble à ein Bunker mit eine borte arrondie?

— Meine Angela und ses trente orgasmes ! Das ist la légendaire Sanisette-System ! Wunderschön ! Tu appuies sur le bouton, und la betite borte te reconnaît et s'ouvre. Entrons, Gretel. Tu vois le vase bour faire deine große Kommission : il est bile à la bonne hauteur de ton Arschloch-perçage und Pipi-Kanal ! Ist das nicht eine miracle ? Brends vite des photos et moi, je les transmets mit eine Kriptage bar satellite chpion vers unser labos secrets de la Wehrmacht, ha ha ha. N'oublie bas de photographier borte-manteaux, miroir, boubelle, lavabo, sèche-mains, distributeur de savon und surtout die blanche Papier-Distributeur qui donne des feuilles für die Trou-Du-Cul-Scheiße-Produktion-System.

— Hansel, je vois un Französisch qui nous regarde d'un air sehr soupçonneux. Range la Parabol-Antenne, die Enigma-Station de codach, et surtout ayons l'air natürlich, genre Touristen.

— Jawohl, Gretel... Ach ! Baris ! Schöne Stadt ! Bonjour, monsieur, wo sind die Bergère-Folien ? Aber... Que faites-vous ? Gretel, il a bloqué la borte de l'extérieur mit son bied ! Nous sommes kaputt comme des rats ! Vite, jette l'appareil enregistreur und die Microfilmen dans la cuvette mit der Kaka-Etronen und tire la Wasser-Projection-System.

— Alerte ! Urgence, priorité absolue ! Ici Moustafa, agent de nettoyage JCDecaux. Ceci n'est pas un exercice ! Avons capturé deux redoutables espions infiltrés. Demandons intervention du GIGN avec appui aérien.

— Hansel, as-tu bensé à brendre sur toi la Cyanure-Kapsel ?

HUIT NOUVEAUX CONCOURS

La ministre de l'Artisanat et du Commerce, Sylvia Pinel, lance un concours de dessin pour lutter contre l'obésité pour les enfants de 8-11 ans dans le cadre de la Fête de la gastronomie fin septembre.
(France 5, 10 septembre 2013.)

1. La ministre des Affaires sociales et de la Santé, Marisol Touraine, lance une course à cloche-pied autour de la place de la République afin de sensibiliser les jeunes médecins à la déser-tification médicale. Les participants porteront les tee-shirts « Pacte territoire-santé » et s'en-gagent à ne boire que de l'eau venue de Seine-Saint-Denis sur toute la durée du parcours.

2. La ministre chargée des Petites Entreprises et des Crémations, Fleur Pellerin, lance un slalom de l'entreprenariat dans le cadre de la Journée mondiale du handicap. Ouvert à tous, il se pratiquera en binôme : un jeune entrepreneur sera opposé à un handicapé sur

une distance de 100 mètres comportant de nombreux pièges amusants. Le gagnant pourra prétendre à une formation à un métier d'avenir dans le Pôle emploi de son choix.

3. Le ministre de l'Économie et du Ras-le-Bol fiscal, Pierre Moscovici, lance un concours d'avions en papier pour lutter contre la paperasserie administrative. Réservé aux cadres supérieurs, il aura lieu lors de l'inauguration du Salon du Bourget. Pour participer, l'avion devra obligatoirement être fait dans le formulaire Cerfa 3310-K-CA3. Il répondra aux normes en vigueur dans le domaine de l'aéronautique de plaisance.

4. La ministre de la Culture et des Subventions, Aurélie Filippetti, lance un challenge d'orthographe dans le cadre de la Semaine de la langue française et de la francophonie, concours réservé aux touristes chinois visitant la France. Toute faute d'accord de participe passé sera sanctionnée par un arrachage de sac à main, suivi par la lecture obligatoire et à haute voix du dernier Le Clézio.

5. Le ministre de l'Agriculture, Stéphane Le Foll, organise un concours de ponte d'œufs dans le cadre de la Semaine du bovin. Tous les habitants des communes de moins de 20 000 habitants seront inscrits d'office, moyennant une

participation de 70 euros remboursable au premier œuf pondu. Les excédents ainsi générés serviront à la prospection de nouveaux marchés à l'exportation.

6. Le ministre de la Défense et des Fusées, Jean-Yves Le Drian, propose un challenge de sudoku dans le cadre des Rencontres militaires blessures et sports. Pour plus de convivialité, les chiffres seront remplacés par des bonbons sans sucre. Un pot de l'amitié sera servi. Le port du masque à gaz n'est pas obligatoire.

7. Le ministre de l'Intérieur, Manuel Valls, lance un concours de 1 000 Bornes dans le cadre de la Journée de la zone de sécurité prioritaire. La zone choisie sera interdite aux 4 x 4 des délinquants pendant toute la durée de l'épreuve, à moins de montrer un laissez-passer délivré par la garde des Sceaux ou de disposer d'un moteur hybride à faible dégagement de CO_2.

8. Le ministre du Redressement productif, Arnaud Montebourg, lance un festival national de tricot dans le cadre de la réforme des retraites. Les épreuves se dérouleront sur Internet. On en profitera pour réduire la fracture numérique.

CLAIR-OBSCUR

Fait divers : un dealer a proposé de la cocaïne et de l'héroïne... à des policiers en civil. La scène s'est déroulée vers 20 heures à Lille : le dealer âgé d'une vingtaine d'années a sifflé des policiers de la BAC qui patrouillaient à pied et en civil. S'apercevant — un peu tard — de son erreur, le jeune homme s'est enfui en courant et s'est réfugié chez lui.

(*Le Journal du dimanche*, 15 septembre 2013.)

OBSCUR : Voilà que de jeunes voyous, âgés d'une vingtaine d'années à peine, vendent de la drogue en plein centre de Lille, devenu zone de non-droit. Pour maximiser leurs revenus et satisfaire la demande, ils ont dans leur achalandage deux drogues dures, la cocaïne et l'héroïne, rien que ça, qu'ils proposent d'emblée au consommateur, en plus d'une offre que l'on imagine pléthorique d'ecstasy, d'herbe et de colle à sniffer. On est tombé bien bas : le mec n'a même pas besoin de dealer en bande ; il est tellement sûr de lui qu'il se balade tout seul, *fingers in ze nose,* et peut se permettre d'accoster n'importe quel père de famille, n'importe quelle ménagère républicaine faisant ses courses au Monop, pour leur proposer son ignoble trafic. Demain, il sifflera votre petite sœur, vous direz quoi ?

CLAIR : Oui, mais quelle chance nous avons !... Des policiers nous protègent efficacement. Non contents de dresser des PV, ils se baladent un peu partout dans la capitale des Flandres et chef-lieu de la Région Nord-Pas-de-Calais, et gardent un œil vigilant sur les individus suspects, y compris ces jeunes désœuvrés, pour leur éviter de prendre trop tôt la pente savonneuse de la dérive. Ils vont et viennent à pied, ce qui prouve leur grande disponibilité auprès de la population et leur désir de limiter l'impact carbone de leur activité, pour le plus grand bonheur de tous et l'avenir de la planète.

OBSCUR : Oui, mais quadrillée du matin jusqu'au soir par des gardiens de la paix, la capitale européenne 2004 de la culture est sous perfusion de sécurité. Les policiers sont obligés de rester en civil — probablement pour éviter d'être pris à partie et caillassés ; ils se font néanmoins siffler par des vauriens comme des caniches —, on atteint là un summum dans l'arrogance exubérante. « Excuse-moi m'sieur l'policier l'bouffon, v'nez chez mouâ, j'veux êt'pris en flag', sérieux. » Comme si ce spectacle indigne ne suffisait pas, une fois que le jeune s'est foutu de la gueule de la loi, il nous compose un petit sprint, histoire de défouler ses juvéniles ligaments. Les forces de l'ordre sont condamnées à le suivre jusqu'à son domicile — on imagine la cité Toit et Joie où il crèche. Notons que pas un seul Lillois n'a pris la peine d'aider les policiers. Un comble dans la ville de Pierre Mauroy !

CLAIR : Oui, mais dans notre belle société, grâce aux bienfaits de l'éducation, seuls les neu-neus irrécupérables s'opposent à la loi. Regardez ce spécimen : proposer de la drogue à des policiers, franchement, il ne faut pas être une lumière ! Que l'on arrête de nous asticoter avec des histoires de cailleras qui auraient gangrené nos villes, alors qu'il suffit d'attendre un peu : c'est de leur propre chef que ces cadors en culotte courte viennent chercher les représentants de l'ordre. Ils exhibent leur marchandise, puis, une fois que les agents ont enregistré la violation caractérisée, prennent la peine de courir jusqu'à leur planque pour que l'on n'ait même pas à la chercher. Et c'est ainsi que le fruit pourri tombe tout seul de l'arbre. Conti-nuons, nous sommes sur la bonne voie.

TABAGISME
HORIZONS ET PERSPECTIVES

Afin de vérifier sur le terrain la réalité de la lutte contre le tabac et de suivre sur le long terme le développement des principales mesures de santé publique, nous avons entrepris un voyage dans le temps et sommes arrivés en 2025. Nous reproduisons ci-après les enregistrements réalisés par nos instruments lors de cette expérience innovante.

Chez le buraliste
— Bonjour, je voudrais un cancer de la gorge.
— Désolé, il ne me reste plus que celui du poumon, au menthol. Vous le prenez quand même ?
— Ce n'est pas un cancer de contrebande, au moins ?
— Non, bien sûr, il est garanti par l'État. Voyez le bandeau avec l'hologramme. Quand vous le regardez en lumière rasante, vous découvrez les métastases qui bougent. C'est ludique. Celles-là ont envahi l'œsophage, si je me souviens bien de mon internat de sensibilisation. C'est que j'ai suivi une formation professionnelle obligatoire à l'unité de soins palliatifs de l'Institut du cancer… Je vous l'emballe ?… Ça vous fait 560 euros.
— Purée, ça a encore augmenté.
— N'oubliez pas l'écriteau obligatoire : « Je suis un parasite, j'attends le cancer. » C'est 10 euros en version autocollant sur le dos, et 20 euros si vous prenez le bonnet d'âne réutilisable.

Dans un café
— Vous, oui, vous ! Vous vous croyez où, assis, là, en terrasse, à happer l'air des fumeurs qui passent ? Veuillez enfiler votre masque obligatoire. Il est interdit d'attraper le cancer dans notre établissement. Vous voulez que j'écope d'un contrôle sanitaire ?… L'autre jour, un jeune, assis en terrasse comme vous, sans masque, a respiré de la fumée de cancer qui s'était échappée d'un passant peu scrupuleux. Eh bien, un lanceur

d'alerte m'ayant dénoncé, j'ai été obligé de céder 10 m² de mon établissement à la municipalité, à titre gracieux, pour l'installation d'une cabine de radiothérapie préventive.

Au cinéma, écran publicitaire
Montage d'images d'archives retouchées
— Bonsoir, Serge Gainsbourg. Vous avez un mot à dire à nos jeunes cinéphiles, je crois.
— Salut, beauté blonde. Tu suces ?... Moi, je nique, j'ai la niaque, te placer une petite éjac entre les nichons — clac ! Mais avant... Je voudrais dire que si tu clopes... tu feras flop ! (Il écrase bruyamment un paquet de Gitanes.) Si tu clopes, poupée blonde, on mettra un fibroscope dans ton cul de salope... Si tu fumes, t'es un légume posthume... (Se tournant vers la caméra.) Crois-moi, pour baiser Paradis ou Hardy, rien ne remplace le radis. (Il croque un radis en gros plan.)

Chez l'inspecteur du fisc
— Vous avez déclaré, je cite : « Je possède trois tiges électroniques de sevrage, afin de me passer du paquet de cancer quotidien, une des tiges se trouvant dans ma résidence secondaire. » Tss, tss, le vilain contribuable a le nez qui grandit ! Car il se trouve qu'en effectuant un contrôle de routine nous nous sommes aperçus que vous êtes allé au Costa Rica cette année. Pas la peine de nier, on a des photos. Le Costa Rica, ce pays mis

au ban du G38, car ne respectant pas la législation antitabac des pays éclairés. Alors ?

— J'avoue, j'y fréquente un club privé où l'on me permet de vapoter une tige électronique non déclarée en France.

— Et de vous soustraire ainsi à l'impôt sur la fumée (ISF), dont le produit, je vous le rappelle, sert à boucler les déficits structurels du pays. Belle mentalité !

— Je vous en prie, ne le dites pas à ma femme.

DEVINETTES POSTMODERNES

Ce n'est pas une retraite, ni une miette, ni une fête, ni un geste pour la planète, ni un pouêt-pouêt atone, ni une aumône, ni une maldonne, ni dans la gueule le Klaxon, ni Babylone de l'eurozone, ni une couronne d'épines, ni une revanche sur la Chine, ni une marotte jacobine, ni une praline dans les fesses, ni un minimum vieillesse, ni un minimum liesse, ni un minimum sagesse, ni le monstre du loch Ness, ni une messe glaciale, ni une kabbale, ni une hernie discale, ni le supplice du pal, ni un plaisir anal, et ce n'est pas un caca cérébral.

Alors, qu'est-ce que c'est ?

Ce Graal, c'est une PAUSE FISCALE.

Ce n'est pas un roc, ni un cap, ni une péninsule, ni un nez, ni une queue, pas même celle de Depardieu, ni une spatule, ni une canicule au culot, ni les impôts d'Hercule, ni la pustule de Théodule, ni la couperose de Théodose, non pas une névrose, ni une hypnose, pas non plus le Dalloz, ni de bobonne la ménopause, ni l'apothéose de La Palice, ni un caprice, ni le retour d'Ulysse, ni la malbouffe à Rungis, ni la touffe à Régis, ni un tas d'immondices, ni un couac *de profundis,* ni demain on rase gratis, ni le supplice du prépuce, ni la revanche du virus, ni sur Twitter un lapsus, ni une idiotie de Nostradamus, et ce n'est pas le phallus d'Elvis.

Alors, qu'est-ce que c'est ? Ce calice, c'est un CICE[1].

Ce n'est pas le chômage, ni un chantage, ni des jeunes l'esclavage, ni un trivial échafaudage, ni un cadeau des Rois mages, ni de la Sécu le naufrage, ni de la prostate un massage, ni un mirage dans le paysage, ni l'âge du marasme, ni un fantasme, ni un orgasme, ni du pouvoir d'achat un spasme, ni un cataplasme sur jambe de bois, ni un véritable emploi, pas même au nettoyage des oua-ouas, ni la paie en fin de mois, ni Pierre Mauroy portant de la myrrhe, ni de France 2 la mire, ni le coup du menhir, ni l'Aïd-el-Kébir, ni DSK en Casimir, ni un délire de satyre, et ce n'est pas un sabir dont on aurait à rougir.

---

1. CICE : crédit d'impôt compétitivité emploi.

Alors, qu'est-ce que c'est ? Cet élixir, c'est un EMPLOI D'AVENIR.

Ce n'est pas un espace piéton, ni un marathon, ni une distribution de biftons, ni de Vélib' un peloton, ni un mauvais feuilleton, ni un touriste teuton, ni une avancée à tâtons, ni un piston à gastrite, ni un écolo prosélyte, ni dans le cul la dynamite, ni de l'ENA l'élite, ni l'État en faillite, ni une partie gratuite, ni une bolée d'eau bénite, ni le sourire d'Aphrodite, ni le mythe de Thésée, ni une expédition de croisés, ni un bouchon à nausée, ni une bave de paralysé, ni NKM déniaisée, ni un feu rouge soviétisé, et ce n'est pas le bordel organisé.

Alors, qu'est-ce que c'est ? Cet Élysée, c'est une CIRCULATION APAISÉE.

Ce n'est pas de la fraternité, ni un rectum dilaté, ni une société d'ânes bâtés, ni un film piraté, ni le travail c'est la santé, ni un ciment de parenté, ni un trou à rat budgété, ni un retraité des PTT, ni un athée du Morvan, ni du verbiage au vent, ni un calendrier de l'avent, ni un voisin salivant, ni le soleil levant, ni ce crétin d'Ivan, ni un survivant qui tremble, ni qui se ressemble s'assemble, ni le petit peuple humble, ni un mort pour l'exemple, et ce n'est pas une viole de gambe ni un viol de jambe.

Alors, qu'est-ce que c'est ? Ce dithyrambe, c'est un VIVRE ENSEMBLE.

PLAQUES COMMÉMORATIVES
MODÈLES 2025

ICI, À L'ENDROIT OÙ SE DRESSE
AUJOURD'HUI UN DISTRIBUTEUR
DE PRÉSERVATIFS, SE TROUVAIT JADIS
UN MONUMENT AUX MORTS DE 1914-1918,
DEVENU INUTILE PAR
OBSOLESCENCE PROGRAMMÉE.
LA FRANCE N'OUBLIERA JAMAIS
LEUR SACRIFICE !

À CETTE TERRASSE DE CAFÉ, JULIEN
A DÉCIDÉ QU'IL FERAIT MÉDECINE, PUIS,
QUELQUES ANNÉES PLUS TARD,
IL Y A LAISSÉ COULER UNE LARME
DE NOSTALGIE DONT ON PEUT ENCORE
OBSERVER LA TRACE SUR LA TABLE
À GAUCHE DU BAR.

ICI, DANS CET IMMEUBLE,
AU CINQUIÈME ÉTAGE, ESCALIER B,
MICHEL A EU UNE IDÉE, SINON GÉNIALE,
DU MOINS FORT PRATIQUE, POUR
ESTIMER À LA LOUCHE SES POINTS
RETRAITE. PASSANT, PENSES-Y !

ICI, SUR CE ROND-POINT,
ANASTASIA S'EST RENDU COMPTE
QU'ELLE N'AIMAIT PLUS GEORGES
ET QU'ELLE AURAIT PRÉFÉRÉ
UN MATELAS TYPE FUTON.

DANS CE MAGASIN, EN AOÛT 2013,
JULIETTE A ACHETÉ UN KILO DE
.TOMATES, TROIS KILOS DE PÊCHES
FRANÇAISES, DU JAMBON SOUS
CELLOPHANE ET DES LENTILLES AUX
LARDONS, PRISES SUR LE STAND
« 1 ACHETÉ, 1 OFFERT ». POUR LES
PRUNEAUX, ELLE A PRÉFÉRÉ SE RENDRE
AU MARCHÉ DE L'AVENUE
JEAN-MOULIN, OÙ UNE AUTRE PLAQUE
A ÉTÉ INAUGURÉE PAR LES ÉLUS DE
LA RÉPUBLIQUE DONT ELLE DÉPEND.

DANS CETTE MAISON A VÉCU
CLOTILDE BROGNON, NÉE POTTIER.
ELLE VOTAIT À CHAQUE ÉLECTION
MUNICIPALE ET TRIAIT ASSIDÛMENT
SES DÉCHETS.

DANS CETTE USINE, JEAN-LUC
A ENFIN PRIS SA CARRIÈRE DE ROUAGE
ADMINISTRATIF À BRAS-LE-CORPS.
PUIS IL FUT REMPLACÉ PAR JEAN-PAUL,
LUI-MÊME REMPLACÉ PAR UNE
RESSOURCE HUMAINE INDÉTERMINÉE
MAIS EFFICACE, ACTUELLEMENT
EN CONGÉ MATERNITÉ.

DANS CET APPARTEMENT, FRANCK
A CHEVAUCHÉ LE DOUBLE DRAGON,
APRÈS AVOIR MAÎTRISÉ LE SERPENT
AUX CINQ COURONNES ET TRANSPERCÉ
D'UN SABRE DE SAMOURAÏ
L'INFÂME DOCTEUR ROBOTNIK.

SOUS CE CHÊNE CENTENAIRE,
S'ÉTANT ASSOUPI EN SEPTEMBRE 2013,
DIDIER A RÊVÉ QU'IL AVAIT UN CLITORIS
DE LA TAILLE D'UNE ORANGE.
PLUS TARD, AYANT HONTE DE SES
PENSÉES, SANS VRAIMENT COMPRENDRE
POURQUOI, ET, À TOUT HASARD, IL A
PRIÉ POUR LA PAIX DANS LE MONDE.

> IN MEMORIAM.
> ICI, AU SOMMET DE CE CRÂNE,
> AU MILIEU DES ANNÉES 1980,
> POUSSAIENT DES MILLIERS DE CHEVEUX
> D'UN JOLI CHÂTAIN SOMBRE. DEPUIS,
> SUITE À LA CRISE DES SUBPRIMES
> ET À LA DÉGÉNÉRESCENCE GLOBALE
> DU CAPITALISME, ENTRE AUTRES,
> CES RATS ONT QUITTÉ LE NAVIRE.
> LES RESCAPÉS SONT BLANCS, MANQUENT
> DE TONUS, ET LES FEMMES
> NE LES REMARQUENT PLUS.
> REQUIESCAT IN PACE.

LEÇON DE SELF-DÉFENSE
POUR MICHETONS

Solliciter les services d'une personne prostituée sera bientôt un délit, punissable d'une amende de 1 500 euros — le double en cas de récidive. Décidé à abolir la prostitution, le groupe socialiste à l'Assemblée s'apprête à déposer une proposition de loi abrogeant le délit de racolage public et sanctionnant les clients par une contravention.

(*Le Monde*, octobre 2013.)

Non, monsieur l'agent, ce n'est pas du tout ce que vous croyez.

La femme que vous voyez est une aide à domicile. Certes, je l'ai choisie de sexe féminin, mais ce n'est pas en raison de préjugés sexistes datant d'une époque révolue, mais parce que je crois en l'égalité des chances à l'embauche et que je souhaite faire baisser la proportion des femmes durement touchées par le chômage. Si elle est à demi nue, comme vous le faites justement remarquer dans le procès-verbal, c'est de sa propre initiative, comme le font les Femen pour nous mettre face à la débilité de nos regards de mâles concupiscents. Car il est intolérable que le corps d'une femme soit assimilé à un bonbon sexuel !

Vous vous étonnez du lieu où nous nous trouvons. Pourtant, le bois de Boulogne n'est en rien un marqueur d'une envie sexuelle pressante, à moins de considérer cette charmante forêt sous un prisme stéréotypé et ouvrir la porte à tous les amalgames, toutes les récupérations politiciennes à quelques mois des municipales. Peu importe l'endroit, je crois, pour faire travailler une personne quand on connaît la précarité actuelle des jeunes.

J'admets que je tenais sa petite culotte entre les dents. Et alors ? Vous n'avez pas été sans remarquer que j'étais nu et que mon slip se trouvait entre ses mains. Vous avez là un échange de bons procédés : je te prête mon dessous, tu me prêtes le tien. Dans un geste de parité, je voulais lui montrer qu'il n'y a pas de honte pour un homme à enfiler une culotte féminine. Et si j'avais l'air de la renifler, c'est uniquement par réflexe hygiéniste, à cause de toutes ces campagnes de sensibilisation aux MST.

Le fait que mon sexe était en érection s'explique par une coïncidence des plus amusantes : je pensais à Fernande. Non que je considère la dénommée Fernande comme un objet sexuel avant d'être la mère de mes trois enfants et la ménagère de 56 ans qui aime s'endormir le soir devant « L'amour est dans le pré », mais parce qu'elle a un comportement civique exemplaire : elle demande le divorce, ce qui ne se fera pas sans quelques charges fiscales dues à la vente de l'appartement qu'on a en commun, charges qui iront enrichir la cagnotte du Trésor et profiteront aux Français les plus modestes.

Enfin, si vous avez trouvé mon éjaculat sur le postérieur de cette dame, ce n'est pas parce que je venais de l'utiliser sexuellement dans une position de soumission dite « en levrette », mais parce qu'elle a refusé catégoriquement d'avaler. Je ne pouvais pas la forcer, nous sommes d'accord. Car je suis intransigeant avec la violence, même verbale, employée contre une femme, surtout quand celle-ci occupe un poste subalterne. Le droit de cuissage a été aboli, Dieu soit loué ! Sachez que, même si je suis son employeur légitime, je n'ai pas à me servir de ma position hiérarchique pour obtenir un quelconque passe-droit.

Tous ces arguments prouvent votre grossière erreur d'appréciation devant notre situation. Je vous propose donc, monsieur l'agent, de remplacer le procès-verbal d'infraction par une demande de décoration. La médaille du Civisme et du Dévouement nous irait bien, à cette dame et à moi.

SPÉCIAL CUISINE

C'est raté, ça se rattrape ! Le rôti est trop cuit, le soufflé n'a pas gonflé, le fondant ne coule pas et les biscuits sont trop bronzés. Pas de panique. On peut tout récupérer et... se régaler. Mon poulet est caoutchouteux ? J'en fais un délicieux hachis. Mon rôti est coriace ? Je le transforme en carpaccio. Mon cake au citron a cramé ? Je le customise.

(*Avantages,* novembre 2013.)

Mon sexe ne bande plus ? Il pend comme une corde à sauter sans enfants ? Pas de stress. J'en fais une pompe à orgasmes. Je le prends délicatement entre le pouce et l'index et, en effectuant un dégourdi mouvement de va-et-vient, j'en retire le prépuce, que je réserve quelques centimètres plus bas. Une fois les aspects cosmétiques en place, je maintiens le vilain garnement en position verticale à l'aide d'un ruban de Scotch double face que j'accroche aux poils pubiens. Je peux ainsi le diriger sans encombre vers tous les lieux où sa présence provoquera gloussements de satisfaction et effet de plénitude.

Mon pouvoir d'achat a bu la tasse et je n'ai plus de quoi partir en vacances ? Pas de mauvaises pensées qui ne font qu'assombrir le tableau ! Je transforme mon voyage en RER en une extraordinaire épopée. Je mets des lunettes de soleil et une chemisette type Hawaï, je déniche un vieux *Routard* du Mexique, je monte au terminus de Saint-Rémy-lès-Chevreuse, et me voilà parti pour la grande aventure. À moi les vieilles pierres de Tenochtitlan ! Je commence par me rendre à l'aéroport Charles-de-Gaulle, comme il se doit, je m'installe dans le hall pour lire soigneusement le *Routard,* puis, après six heures d'excursions et de bons plans, je repars dans l'autre sens. Qu'il est dur de rentrer chez soi après un séjour aussi féerique ! Et si mon voyage a lieu en été, je peux même faire un détour par Paris Plages pour me prélasser dans les eaux délicieusement tièdes d'un lagon paradisiaque.

Mon travail est abrutissant et me procure une gigantesque impression de futilité ? On se calme. Je le transforme en un jeu cocasse. Il me faut une corde, que je prends fine et solide, en Nylon tressé, si possible. Je me procure aussi un tabouret léger, facile à transporter. Pendant la pause-déjeuner ou le soir, je repère une tringle à rideaux ou, plus précisément, un crochet au-dessus d'une fenêtre. Je lie la corde au crochet. Je vérifie, en tirant, que c'est solidement attaché. Pas question que ça fasse un four le moment venu ! Je monte sur le tabouret et je fais un nœud coulant avec le bout libre de la corde. J'ouvre la fenêtre. Je passe la tête dans le nœud coulant — ne dirait-on pas une cravate à l'envers ? Puis je fais ce que j'ai toujours voulu faire quand je lisais les aventures de Superman : je marche dans le vide. Le pied resté libre repousse le tabouret loin de moi. Astuce de grand-mère : pour une meilleure sensation et afin d'éviter les brûlures désagréables autour du cou, on enduit délicatement la corde avec un savon à base d'huiles essentielles.

Ma cote de popularité a encore dévissé ? On ne va pas se laisser abattre pour si peu. Faisons-en un atout. Je la décore avec des blagues Carambar tout en prenant un air sérieux et autoritaire. Comme tout le monde finit par se lasser, on ne me remarque même plus. Pour parfaire ma disparition, je m'entraîne à parler « muet » : il suffit d'ouvrir la bouche comme un poisson sans vraiment activer les cordes vocales, sauf pour prononcer « partenaires sociaux ». Alors la désintégration spontanée sera à portée de main. Pour que vive la cuisine moléculaire !

REMISE À PLAT

Nous avons décidé de réagir. Frapper ce grand coup qui nous permettra de reprendre la main. Il n'est jamais trop tard pour amorcer la pompe. Forcer le destin. Le Grand Soir est venu. On nous a cherchés, on nous a trouvés. Nous allons fusionner la CSG et l'impôt sur le revenu.

Voilà le projet. Il donne le tournis. On dirait un Everest. C'est grandiose. D'une ambition à couper le souffle. Un pari unique dans l'histoire de notre pays. Pour le mener à bien, il faut une audace alliée à une intelligence tactique hors du commun. Il faut être Napoléon, Tamerlan, Jules César et Marie Pervenche réunis. Car nous partons de loin. D'un côté, nous avons la CSG, de l'autre, l'impôt sur le revenu. Regardez-les : deux monuments. Deux légendes vivantes. Et aucune communication entre eux. Très peu de vivre ensemble. Parfois, nos deux impôts nationaux se regardent en chiens de faïence. Ce que prélève Pierre ne peut plus être pris par Paul, et réciproquement. Il y a une forme de concurrence. Le cannibalisme des prélèvements obligatoires est un problème dont personne ne parle. Et pour le contribuable, il y a un manque de transparence. D'où frustration et mauvaises pensées pouvant dégénérer en déprime. Ce gâchis ! Le mille-feuille est morne et figé. Gravé dans le marbre. Mais nous allons dynamiter tout cela. Casser le quotidien. Braver les habitudes. Mettre des couleurs, du mouvement. Apporter la vie. Le rêve bleu de la ligne d'horizon dans le creux de la main. Demain : la CSG et l'IR, réunis !

Nous savons que c'est osé. D'autres que nous s'y sont déjà cassé les dents. C'est une sacrée responsabilité. Le matin, on est tout pimpant devant cette tâche herculéenne, mais le soir, on sent monter le doute visqueux. Et si on n'y arrivait pas ? Les petites voix nous assaillent de toutes parts. Elles piaillent : « Renoncez, vous ne faites pas le poids », « N'aggravez pas votre cas, vous avez déjà fait la preuve de votre incompétence », « Personne n'a jamais réussi à se qualifier en étant mené 2-0 au match aller ». Les passéistes ne manquent pas. Laissons-les vider leur bile, ces envieux, ces parasites ! Ils riront moins quand on aura réussi le Grand Œuvre avec l'aide des partenaires sociaux.

Imaginez : on se réveille un jour, on est tout fébrile, on a comme un pressentiment. Vers midi, le facteur apporte la feuille des impôts, et l'on découvre, éberlué, que, ô miracle, la CSG et l'IR ont uni leurs compétences, que c'est d'un même pas qu'ils avancent vers des lendemains qui chantent. Alors, tout ému, on crie : « Suzette ! Tu ne vas jamais le croire. Ils l'ont fait. Viens voir la feuille. Tiens, lis ! Ce n'étaient pas des promesses en l'air. Ils l'ont réellement fait ! Les cons ! » Le soir, on fait péter le mousseux, on met une double couche de Nutella sur la tartine, c'est la fête. « Et un, et deux, et trois, zéro ! »

Le lendemain du grand jour, une vague d'enthousiasme soulève des millions de poitrines. Les manches se retroussent. La productivité au travail fait un bond. Les cerveaux ne fuient plus. Les marchés se débouchent. Les capitaux bourgeonnent. Les salaires grimpent aux rideaux. Les fins de mois respirent. L'Allemagne se pince : mais non, elle ne rêve pas. Quelle est cette force qui transporte leur incapable voisin ? Ainsi commence l'Âge d'or.

Certains ont pensé que nous n'aurions jamais ce courage. Ah ! mais c'est mal nous connaître ! Nous sommes des hommes, des femmes et des transgenres d'airain.

BISOUNOURS,
PROMOTION VOLTAIRE

Tu as grandi dans les années 1980 et tu aimes les Bisounours ? Ils te manquent et tu te languis de leur douceur ? Comme on te comprend !... Aujourd'hui, le petit garçon ou la petite fille que tu es resté a bien de la chance. Grâce à nos grandes écoles qu'on nous envie partout dans le monde, une nouvelle génération de tes jouets préférés a été formée. Retrouve-les dans les étals et laisse-toi câliner !

Sorti septième de l'ENA dans la promotion Voltaire, auditeur à la Cour des comptes et maître de conférences à Sciences-Po, Grobisou n'en est pas moins le plus trognon, le plus tendre des doudous. De couleur rouge foncé, avec un cœur gros comme ça dessiné sur le ventre, c'est un nounours très gourmand. Il sera ton compagnon idéal pour jouer à la dînette. Tu peux lui cuisiner de bons petits plats, il ne grossira jamais, ou si peu. Note bien qu'il est le chef de toutes les peluches, qu'il commande avec des bisous et son air gentil comme tout. Ne fais pas attention aux sondages qui baissent ; si tu l'appelles au secours, pour toi il sera toujours l'ami au grand cœur, l'ami du bonheur.

Inspecteur des finances, Grododo est sorti deuxième de l'ENA. Professeur à Sciences-Po lui aussi, directeur du Trésor, c'est un as de la finance. Avec lui, ton argent de poche ne risque pas de s'envoler ! De couleur bleu clair, Grododo a longtemps joué au Crédit lyonnais — c'est un coin enchanté qu'on appelle aussi « grosse tirelire à bisous ». Le méchant docteur Kalomnik dit qu'il est responsable d'un trou de 15 milliards pour le contribuable, mais ce ne sont que mauvais racontars. Que cela ne t'empêche pas de le serrer très fort dans tes bras avant d'aller au dodo !

Grofarceur est rose pâle avec un arc-en-ciel sur le ventre. Il n'est pas sorti de l'ENA, mais c'est le plus malin des Bisounours. Diplômé de médecine, il a pratiqué la chirurgie capillaire : c'est lui qu'il faut aller voir si tu as un gros bobo. Grofarceur est toujours de bonne humeur, même quand il a des ennuis au pays magique où les gentils fraudeurs planquent leurs bisous. Tu peux lui dire tous tes secrets, il ne les répétera à personne, pas même à la commission parlementaire. Avec son sac à malices, il est le plus roublard car il sait que la vie est plus gaie quand on la prend du bon côté, le ciel n'est jamais gris quand un enfant sourit.

Diplômé de HEC et de Sciences-Po, docteur en sciences économiques, Grocadeau a failli être président des Bisounours, mais on l'a retenu dans un hôtel à New York où on l'aimait trop. De couleur mauve, avec deux sucettes roses sur le ventre, il aime beaucoup les petites filles, et un peu moins les garçons. Si tu es une petite fille, tu as bien de la chance : pose-le sur tes genoux, ferme les yeux, compte jusqu'à trois en pensant à une caresse de ta maman, à une étincelle de printemps, et tu n'auras même pas mal. Plus tard, ne raconte pas cette aventure aux grandes personnes : elles ne comprendraient pas et tu risquerais de vexer Grocadeau, qui irait pleurer, bouh ! bouh !

Mais il n'y a pas que l'ENA dans la vie d'un ourson qui aime les câlins ! Groveinarde a fait Polytechnique. Toute verte avec un trèfle à quatre feuilles sur le ventre, elle aime la nature et Paris. Le docteur Kalomnik dit qu'elle n'y connaît rien, ni en urbanisme ni en transport, mais tu sais bien qu'avec un bisou vert tout s'arrange. Aux prochaines municipales, elle sera peut-être élue pour construire le grand jardin des bisous, un joli jardin tout fou dans notre capitale.

TOUT VA MAL

Nous allons tomber. Les raisons d'espérer ont capoté ; certaines sont parties pour Londres, d'autres en Suisse. On a connu des périodes de notre histoire bien plus gaies. Les leviers sont rares et on les a égarés. C'est dans les périodes difficiles que l'on capitule. Les mesures à prendre, qui peut nous dire où elles se trouvent ? On a perdu le mode d'emploi, et la garantie constructeur n'est plus valable. L'échec appelle l'échec. Notre système a fait flop. On nous moque partout dans le monde. Remballons cette insouciance béate qui ne mène à rien. Même le Royaume-Uni est en crise, alors nous !

Baissons nos manches. Chacun fera une introspection, et vlan. Le verre est à moitié vide, et je ne dis rien de la baignoire percée. La Chine, l'Allemagne nous fichent dedans, et bientôt l'Albanie. Les Grecs, les Espagnols attendent au tournant. Ça prendra le temps que ça prendra, mais on s'écrase. Ce trou d'air est un vortex. Les premières mesures de relance ne servent à rien. Personne ne peut se vanter de nous voir avancer. Notre productivité est une des pires au monde — on ne le dit pas assez. Il est des secteurs où l'on est largement largués. Le tout est de faire preuve de lucidité. Prenons la peine de nous regarder dans un miroir ! Plus on gesticule, plus on s'enfonce. Plus tard, on regardera en arrière et l'on regrettera d'être nés.

La France est essoufflée comme un asthmatique sur un faux plat. Le Poitou-Charentes est une plaie. L'Ardèche est un boulet. Les industries de l'Aveyron sont démoralisées. Saint-Étienne n'a plus que sa banlieue pour pleurer. Les Yvelines se font rétamer à l'export. Les pôles d'excellence de la Lorraine ? Vous voulez rire ! Une PME dynamique de Saint-Georges-sur-Baulche a déposé cinq brevets avant de faire faillite. Nous avons trois façades maritimes et cinq bateaux rouillés, dont l'*Indomptable,* l'*Incomparable* et l'*Insubmersible.* Avec un peu de chance, si l'on éponge ses dettes, le mont Blanc sera racheté par le Qatar. Marie-Laure a perdu son Pass régional TER sans que personne ne le rapporte aux objets trouvés.

Le rayon de soleil est parti éclairer d'autres cieux. Timidement, l'été 2013 attend l'année prochaine, voire 2016, selon certains experts. Nos compétences humaines se limitent à fabriquer des énarques. Le reste est à l'avenant de nos grandes écoles. La modernisation de Pôle emploi, on aurait pu s'abstenir. Malgré ses qualités d'écoute et sa pratique du badminton, Jérôme n'a pas été retenu pour le stage d'été dans un grand groupe à la Défense. Mamadou a échoué au TCF (test de connaissance du français). Le CV de Jean-Luc s'est effondré après une expérience désastreuse dans les technologies vertes. Robert a raté son permis poids lourds du premier coup. On pourrait multiplier les exemples d'échec, il y en aura toujours qui couineront d'optimisme.

Nos institutions garantissent le fonctionnement sempiternel des rouages, il n'y a rien de plus démoralisant. La fonction publique est lancée depuis plusieurs années dans un vaste concours de stagnation. Tout cela est plus que déprimant. On a beau tendre la main, les fruits s'en éloignent, ce qui ne les empêche pas d'être soumis à la CSG. On a beau savoir se contenter de peu, il y a une limite basse difficilement supportable. Ceux qui ne sont pas découragés ne le seront jamais. N'y faisons pas attention. Renonçons. Coulons. Et bon débarras.

Table